詩への小路

ドゥイノの悲歌

furui yoshikichi

古井由吉

講談社文芸文庫

JN053641

目次

詩への小路　ドゥイノの悲歌

1　ふたつの処刑詩

——刑場へおもむく道すがら、彼は踊っていた。両手を振り上げ、勇む悍馬さながらに。十六もの鎖に繋がれているにもかかわらず。どこへ行くつもりでいるのだ、と人はたずねた。屠《ほふ》りの場へ行くのではないのか、と彼は答えた。そして大声を放って歌った。

友が残酷の誇りを受けるのは
　もとより我の望まぬところ
友は自身の飲む酒を我にあたえたまで
　主人が客にすすめるのと同じに

しかし盃の巡る時になり
　友は首斬りの台と刀を運ばせた
　夏日の灼熱に龍と酒を酌み交わす者は
　　このようにして果てる

彼とはフセイン・アル・ハラージである。フセイン・アル・ハラージは実際に、西暦の九九二年にバグダッドで処刑された。三月の二十六日と、日付まで特定されるらしい。酒を振舞った上で斬首の用意を命じた友とは、神である。

さて、夏日の灼熱のもとに龍とともに酒を飲むの、龍とは何か。これも神か。神あるいは神性、あるいは神性との融合を暗示するのではあろうが、まず龍巻と私は取った。灼熱の白昼に立つ旋風である。すると、盃が巡るというのは、ほかに客もなさそうなので、酒宴の闌《たけなわ》は闌でも、盃も旋回する、盃も龍巻く酔いと見える。烈しい酩酊の中の死である。風はそよりともせぬ、としてもよい。

死罪に至るまでの経緯は、マルティン・ブーバーの収録した説話によれば、おおよそこうである。フセイン・アル・ハラージが民にさまざまな驚異をあらわすうちに、虚言者たちはその偽りを暴かれ、信奉者たちは無数になった。すると、敵対者どもは誹謗を逞しくして、太守《カリフ》たちに讒言した。そしてバグダッドの導師《イマーム》たちもフセイン・アル・ハラージに、彼が「私は神だ」と言った廉で、死刑の判決をくだす。

——人々は彼に、あの御方こそ神、と言うように求めた。すると、彼は答えた。そのとおり。万物があの御方だ、お前たちは、神は沈んだと言う、しかしフセインも沈んだ、世界の大海は沈まない、滅ぼしもしない、と。

沈むというのは、フセイン・アル・ハラージ自身のつぎの言葉に照らして見るのがよいだろう。

——認識とは事物を見ることだ。しかしまた、すべての事物が絶対の中へ沈むさまを見ることだ。

フセイン・アル・ハラージとは、どういう人なのか。私はごく遠くから眺めているのにすぎない。近づく手立てがさしあたりない。説話によれば、祭日にすべての人が礼拝するその間、ひとり丘に登って眺めやり、おお、愚鈍なる者たちのための、道しるべの御方よ、と神に呼びかける。そのような人である。そして人々が礼拝からもどってくると、我身を叩いて叫ぶ。

——崇高なる神よ、私は知っている、あなたは純白だ。そして私は言いたい。あなたは人の讃美する、すべての讃美にも染まらない。人の礼讃する、すべての礼讃にも染まらない。人の思惟する、すべての思惟にも染まらない。神よ、あなたは知っている、私には称賛のつとめが果たせない。私に代って、御自身で御自身をほめたたえ給わんことを。それこそまことの称賛。

——彼は言った、見る者の眼力、認識する者の判別、霊によって知る者の光、速く歩み進む者の道、《それまで》の永遠と《それから》の永遠とその中間にあるすべて、それらは時に属する。何によってすればそのことを悟るに至るのか、と人がたずねた。フセインは答えた。純一の心を持つ者は、眼を投げ棄てよ、そうすれば、観えるだろう、と。

時に属する。時間性は世俗性に通じる。時間を表わす語でもって世界を表わすという用法はヘブライ人の聖書にも見られる。さらにフセイン・アル・ハラージの、心を惹く言葉をつらねてみる。

——神を探す者は、贖罪の蔭の下に憩う。神が探す者は、無罪の蔭の下に憩う。

——神を探す者は、啓示の先を駈ける。神が探す者は、啓示がその駈足を追い抜く。

いずれも太陽の照りつける乾いた道を思い浮かべたほうが印象はまさる。後者の喩えは、かりにパウロの回心にあてはめてみれば、いささかの諧謔味が生じるのではないか。パウロもあの時、図絵によれば、馬を急がせていたようだ。

海底の貝の比喩もあり、ヴィーナスからマリヤの方角を連想させる。照明とは神からすれば啓示、人からすれば悟りとなるだろう。

——神聖なる照明の時は、われらの心の海底にひそむ貝である。復活の朝がそれらの貝を岸へ打ちあげると、貝はたちまちひらく。

フセイン・アル・ハラージについて、私が述べられるのはここまでである。私はすでにもう一方へ、もうひとつの「処刑」を叙した詩のほうへ目が行っている。対比してみようと思うのだ。

ついでながら、フセイン・アル・ハラージにとって命取りとなった発言は、「私は真実である」であったと伝えられている。これは「私は神である」と言うのにひとしい。イエスもヨハネ福音書の中で真実と呼ばれている。聖真実という言葉もある。また、土壇場の酒宴の詩の中では首斬りの台と刀とあるが、実際には磔刑だったと伝えられる。

あくまでも対比、ただの対比であり、私がたまたま、二つの詩を読み合わせただけのことである。

ライナー・マリア・リルケに、「キリストの地獄行」と題される詩がある。未発表のまま遺された一九〇六年から二六年までの詩をおさめた集の中に見える。

キリストの地獄行とは、イエスが十字架にかけられたその後、おそらく昇天の前に、地獄にくだって、それ以前に没した聖人義人たちの霊を救ってまわるという説話である。福音書には、十字架の上でイエスが息を引き取った時、地は震い、磐《いわお》は裂け、墓は開いて、死没した大勢の聖なる者たちの肉体が呼び覚まされ、イエスの復活の後、墓を去って聖なる都市へおもむく、とあるだけで、イエスの地獄行のことは記されていないが、死にたいする勝利であるイエスの犠牲死の証しとして、やがて公認された伝説であるらしい。ここで地獄と言うのは、死者たちの長く留まるハデスと、究極の劫罰の所であるゲヘンナとが、峻別されていないようだが、これにこだわるとむずかしくなりそうなので措く。

それよりも、私などにとっては、イエスの死に至るまでの一日の流れをさらっておくほうが大事だろう。古代ヘブライ人の暦では一日は晩から始まり、過越の祭りと安息日とが重なる日の、その前日の明けにあたる晩に、最後の晩餐がある。そののちイエスはゲッセマネのオリーヴ山で苦悩の祈りを献げ、やがて逮捕され、カヤパたちの前に、そしてピラトの前に引き出され、罪人として大衆に渡される。茨の冠をかぶせられてゴルゴタの丘に登り、十字架につけられたのがマルコ伝によれば第三時、朝の九時。それから第六時つまり正午から、第九時つまり午後の三時にかけて、暗闇が全土を覆う。そして第九時にイエスは、エリ、エリ、レマ、サバクタニと叫んで絶命する。わが神、わが神、なんぞ我を見棄て給ひし、である。そこから、リルケの詩は始まる。

——ついに苦しみを尽して、彼の神性は受難の、むごたらしい肉を離れた。十字架の上に、肉体を遺して。

そして、暗闇がひとり怯えて、蒼ざめた肉体へ向けて蝙蝠たちを投げつけ、蝙蝠たちの夕べの羽叩きにはなお、冷たくなった苦のなごりに打ちあたることへの、恐れがゆらめいた、とある。受難の跡におののく闇の中を蝙蝠が十字架上の遺体を避けて飛ぶ情景になるが、地はまだ震わない。磐もまだ裂けない。神殿の聖所の幕が裂けたことも、関知せぬ様子の情景である。十字架の下に人のいるようなけはいも、詩からは感じられない。

暗く落着かぬ夜気は屍体に触れて沈み入り、旺盛な夜行の獣たちにも昏憊が見えた、とある。ひとつの事が了って、つぎの事がまだ始まらぬ、境になる。人の嘆きの声も立たぬ、あらわな端境である。成就とは時空を止揚する決定のはずだが、遺された時空のほうに詩はまず付いた。

それから、肉体を離れたキリストの、しばしのためらいが想われる。解き放たれた彼の霊はおそらく、風景の中に、何事も為さずに、立ちやすらうことを思った、とある。というのも、彼の受難の大事はなおあまりにも重かったので、と。そして、その受苦の際限もなさにひきかえて、という意になるのだろう、万象の夜のたたずまいは、彼の目にはいかにも穏和に見えた、とある。さらに、彼はかなしき空間のごとく、万象の上空にあって、虚空をつかんだ、とある。空間につつまれる存在ではもはやない。みずからが空間として万象をつつむこともない。

そこで地が裂ける。たたずみかけたキリストを、地が行動へ促したかたちになる。キリストの傷口の渇きとともに乾いた大地が裂けて開き、深い底から呼ぶ声が昇る。責苦の通暁者であるキリストは地獄の叫びをたちまち聞き取る。地獄の者たちは、キリストの苦難の完結したことを、しかと識ることを求めている。

――彼の、無限のはずの、苦難がなおかつ終ったという事実に、彼らの、なお続く業苦が驚愕し、かすかに悟りはじめる。

予感して、驚愕する、という順序にはない。無限がなおかつ完結したという「奇跡」の知らせは、地獄の不断の苦の内にある者たちに、まず驚き以上の衝撃をもたらす。恐怖に近いものとも取れる。その衝撃を受けてかすかに悟りはじめる、かすかに感じはじめる。おそらく無限の完結の、その帰結、その後に我身に来るものをだろうか。それこそ思議しがたいものであるに違いない。

そしてキリストの地獄巡りが始まる。すでに霊であるキリストが、疲労の重みのすべてを抱えて淵へ飛び込み、群れる影たちの怪しむ視線の間を早足で抜け、アダムへ目をちらりとやって、さらに急ぎくだり、断崖に姿を隠しては現れ、さらに峻しい谷へ身を躍らせる。この駆足の巡回は、さきに十字架を離れたあたりで地上の風景の穏和さを惜しみ眺めたのにくらべれば、ほとんど、いま一度の苦に耐える姿に見える。

やがていきなり、沸きおこる叫喚の頭上へ高く昇り、忍耐の塔の上から歩み出る。息もつかず、柵にもまもられず、もろもろの苦を一身に占める者として、沈黙した。

沈黙したの一語で、詩は断ち切られる。

地獄の叫喚の上空へ高くあがり忍耐の塔に立つという行動がそれ自体きわめて雄弁なので、ここは、沈黙したと訳すのがふさわしい。あらためて、一段と深く、沈黙した。

それから、何を告げるのか。そもそも、解ける時のある沈黙だろうか。あるいは、塔上の沈黙に触れて地獄の叫喚が絶える時、地獄の沈黙そのものがすでに、おそろしい成就なのではないか。

2　人形めぐり

ライナー・マリア・リルケの「ドゥイノの悲歌 *Duineser Elegien*」（一九二二年）の第四歌は、閉じた舞台に向かって、《私》は人形劇《マリオネット》の始まりを待つ。灯が消えようと、すべて仕舞えたと告げられようと、空虚の風が舞台から吹き寄せようと、祖先たちも残らず婦人も往年の少年も席を立とうと、私はここに留まる、そしてひたすら眺める、とひかぬ構えである。

生涯の幕前《まくまえ》になる。ついには、その凝視に答えざるを得なくなり、天使が人形づかいとして現われ、人形を立ち上がらせるまで。天使と人形、そこでようやく劇は始まる、とある。

なぜ、人形でなくてはならないのか。詩のその箇所に至るまでに、人の演じる芝居が、拒絶されている。役者は中身の半分までしか詰まっていない仮面であり、それにひきかえ、人形はすっかり詰まっている、と。さらにその前には人と人との関係が、真には不可能のものとして忌避される。

天使については第一歌の冒頭に、《私が叫んだところで、天使たちの諸天から、誰がその声を聞くだろうか。かりに天使の一人がいきなり私の心臓を摑んだとしたら、私はその存在の強さにかなわず滅びるだろう。美しいものはおそろしいものの、われわれにはまだどうにか堪えられる発端にほかならない。美が冷然として、われわれを破壊する労を打ち捨てて顧みぬ間にかぎり、われわれは美を称賛するのだ。いずれの天使もおそろしい》とある。

このおそろしい天使の一人に、人形の糸を引かせるまでに、おそらく、道程はある。天使を惹き寄せるための、苛酷な条件の、充足を要請している詩なのかもしれない。

ハインリッヒ・フォン・クライスト（一七七七――一八一一年）に、「マリオネット劇場」という随想がある。さる高名の舞踏家と筆者《わたし》との公園での対話の形を取り、この舞踏家がしばしば、街の市場に立つマリオネットの芝居小屋を訪れるのを、かねてから訝っていた筆者が、本人にそのことをたずねるところから話は始まる。大衆向けの、歌と踊りを織り込んだ茶番の類いを出し物にする小屋だという。舞踏家が人形の踊りへの関心と、アイロニーをおのずとふくむものだが賛嘆の念を語るにつれて、筆者は話に惹き込まれていく。

人形の微妙な動きについて筆者のたずねるのに答えて舞踏家が教えるには、人形の五体は踊りの節々で、部分ごとに糸で操《あやつ》られるのではなく、あらゆる動作にはひとつの共通の重心があり、人形づかいは人形の内部にあるこの重心を操作すれば足りる。人形の五体は振子に異ならず、そこに力を加えなくても、重心の動きにつれて機械的に振れる。しかもこの重心の移動はきわめて単純で、たいていは直線であり、それにより五体は曲線を描く。しばしば、ただの偶然の動きに揺すられただけで、五体はひとりでに、踊りに似た、ある種のリズミカルな躍動に入る、と。

その説明に得心しながら筆者はそれでも、その機械的な動きから生じる優美さは舞踏のそれにひとしいものかとこだわる。それにたいして舞踏家は、操りの糸は《踊り手》へ魂の入る道でもあると答える。そしておそらくこの入神の道は、人形づかいがおのれを人形の内へ移すことによってしか、つまり、自身踊ることによってしか、見出せないのではないか、と。さらに、もしも人形師が私の注文に従って人形を造ってくれるなら、私はそれを操って、自身をふくめて当代の舞踏家たちのなし得ぬ舞踏を演じて見せようとまで言う。どのような人形を注文するのかと問えば、尋常のものと変わりはないが、均整と軽捷さをより高度に、とりわけ重心のより自然な配置を求めるという。そして人形の、舞踏家にたいする有利さをたずねられて、ふたつの点を挙げる。

まず、人形はおのれ（の所作）を装飾することがない、これが消極的な利点だ、と言う。装飾とは余計な《振り》のことなのだろう。なぜなら、装飾とは魂が動作の重心よりほかの点に在る時に生じるからだ、と言う。魂とは入神の《神》と取ってよいだろう。ところが人形づかいはそもそも、針金ないし糸によっては、重心以外の、ほかの点を手の内に入れることができない。それゆえ、重心のほかの五体は死んでおり、純然たる振子であり、ただの重力の法則に従う。これが、われわれの舞踏家の大方において求めても得られぬ、すぐれた特性である、と。

そして舞踏家は当代の同業たちの、あれこれの場面の、魂が腰椎にすわっているだの、肘にすわっているだの、情ない姿をあげつらったのちに、しかしこのような失態は、われわれが認識の果実を食べてからは、避けられぬものになった、とつけ加える。その指摘に筆者は苦笑しながら、精神のないところでは精神の迷いようもない、と胸の内でつぶやくが、話の続きをうながす。

つぎの利点として、人形は antigrav である。無重力と訳しておこう。物質の慣性こそ、踊る者にとって最大の障害であるが、人形はこれを知らない。そこで舞踏家は同業のすぐれた女流を引き合いに出して、アントルシャ（ジャンプして踵を打ち合わせる動作）や、ピルエット（爪先立ちの旋回）の際に、もしも彼女が六ポンド軽くなるか、あるいは同じだけの揚力が助けに入るならば、どれだけの代価を支払うことか、と言う。人形は地面をただ、そこを掠めてその一瞬の阻止により五体にあらためて躍動をあたえるためにだけ用いるのにひきかえ、われわれ舞踏家はその上で休息して踊りの緊張から力を回復させるために地面を必要とするが、この休息の瞬間はそれ自体あきらかに舞踏ではなく、これによってはそれ以上の何事も始められず、これをできるかぎり無きものにするよりほかにすべもない、と嘆く。

われわれ日本人に伝来の舞いの観念といかにも隔たりがあり、あるいは西洋舞踏としても、後世の《象徴主義》の心性にまだ染まっていなかった時代のことかとも思われるところだが、それは措いて、筆者は舞踏家のくりひろげるパラドックスに興味を覚えながら、機械的な人形に、人体におけるより多くの優美さがふくまれるという論に説得されきらずにいると、舞踏家はそれに答えて、人間はその点で人形にはとうてい及ばないとさらに断言する。神のみが、この分野で、物質（である人形）に匹敵する、と。ここに、世界の円環の両端（発端と末端）がひとつに結び合う一点がある、と。

それでもまだ異様な主張に困惑する筆者にたいして、モーゼの書の第三章、人間の失楽の章が引き合いに出される。このあらゆる人智の発祥の期を心得ぬ人間とは、この機微を語ることはできない、と。この言も機知の運びの内にある。それから一転して、気前よく読者を可笑しがらせる逸話をふたつ挟んだのち、舞踏家の結論はおおよそこうである。

有機の（生命ある）世界にあっては、省察がより暗いほどに、より弱いほどに、その度合いに従って、優美はより輝かしく、より圧倒的に、現われ出る。しかし、もしも認識が無限を踏破したならば、優美はふたたび見出される。かくして優美は、一抹の意識も持ち合わせぬか、でなければ、無限の意識を備えるか、その両極端の姿態において、もっとも純粋に現われる。すなわち、人形か神において。

となると、われわれはまた、知恵の果実を食べなくてはなりますまいな、無垢の状態へ逆戻りするために、と筆者はつぶやく。

もっとも、それは世界の歴史の最終章になりますが、と舞踏家は答える。

不自由な言葉で訳しながら再現していると、どうしても全体から、諧謔の音調《トーン》が掻き消されるようだ。

因みに、この人形についての随想は一八一〇年、クライストの自殺の前年の作になる。

どのみち気ままな散歩のようなものなので、思い出したついでに、私の好きな家にも三分間ばかり立ち寄ることにする。北ドイツはフリースラント地方、フーズムの作家テオドール・シュトルム（一八一七―一八八八年）である。そのシュトルムに「人形づかいポール」という小説がある。町の少年と旅回りの人形づかいの一家、殊にそこの少女との交流とその後日を物語ったものであるが、その仕舞のほうに老人形づかいの埋葬の場面があり、そこへしばらく行方知れずになっていた道化人形が墓地の塀の外から棺の上へ投げこまれ、主人とともに土に埋められる。その時の人形の、往年はその親指を陽気に動かして客を楽しませた腕を、天へ差しのべている様子が、こんなふうに形容されている。

――あたかも、すべての人形芝居の終った後、天国で別の芝居が始まることを、告げ知らせているかのように。

それだけである。お茶を呑むほどの長居もしない。いや、もうひとつ思い出した。この小説の少年も、深夜の劇場のベンチに坐っていた。壁に灯は燃えているが、ほかに客は誰もない。夢である。ただし少年は実際に、宵まで芝居の演じられた広間に人形づかいの娘と二人きり閉じこめられて、舞台の書割の裏の、渡した針金から吊された人形たちが隙間風に揺れるそばで、長持のような大きな箱の中に身を寄せ合って眠っている。道化人形をいじって壊してしまったその罪による。

誰もいない客席に坐る少年の頭上には、《地獄の雀》と冗談に呼ばれた蝙蝠の翼のあるヒキガエルにまたがった狂言回しの道化人形カスパールが飛びまわり、「悪い餓鬼どもだ。悪い餓鬼どもだ」と叫んだり、「おいらの腕が、おいらの腕が」と嘆いたりする。

その晩の出し物は、「ファウスト博士の地獄堕ち」の四幕物だった。初幕はファウストとメフィストフェレスの契約で終り、両人がメフィストのマントに包まれて空へ飛び去った後、カスパールが蝙蝠の翼のヒキガエルに乗り、《地獄の雀にまたがってパルムへ参るか》と叫んで続く。終幕は契約の二十四年の満ちる夜になり、幕開きにカスパールが夜回りとなって現われ、《聞いておくれ、旦那方、女房《かあちゃん》がおいらを撲った。女には御用心。さて時刻は十二時》と可笑しな唄を歌って時を告げると、真夜中の鐘が鳴り、ファウストが舞台によろめき出て、天井から呪いの大音声が降る。

——しかし恍惚《エクスタズ》の絶えて訪れぬ私の心は、むなしき劇場だ。そこで人はいつまでも、いつまでも、現われぬものを待ちつづける。紗《うすぎぬ》の翼をもつ彼《か》の者を。

ボードレールの一八八五年の詩の結びである。彼の者とは天使ではなくて妖精である。人形劇ではなくて、妖精に扮した女性の登場する夢幻劇になる。ありふれた劇場で演じられている。オーケストラが賑やかな楽を添える。時として私はそんな陳腐な劇場の底(fondというのは平土間のことだろうか)から、ひとりの妖精が地獄の空に奇跡の曙光を点すのを見た。時として私は陳腐な劇場の底から、光と黄金と紗とからのみ成る者が巨大なる悪魔《サタン》を倒すのを見た。しかしいまや恍惚の絶えて訪れぬ私の心は、と続く。

もとは黄金の髪の美女へ捧げた詩なのだそうだ。その女性はこの詩の八年前に、「黄金の髪の美女」なる題の妖精劇でその役に扮したという。詩中の《光と黄金と紗と》の黄金とは金髪である。しかし劇場のbanalは、献詩としては、どんなものか。かなり皮肉である。オーケストラのsonoreも、あまり微妙な音色とも聞えない。時折parfoisも、その八年の間におさまらず、幼少の昔の芝居小屋にまで及ぶのではないか。

ところでボードレールのこの詩の表題がL'irréparable——取り返しのつかぬもの、償い得ぬもの——であり、悔恨remordsを示す。詩中、Remordsと頭文字を大書される。Remordsとはまた、取りも直さず、呵責であり、嚙み噴むものである。詩中、屍を食む蛆に喩えられる。柏の木を蝕む毛虫に喩えられる。その剣呑貪欲なこと娼婦に、その倦《う》まぬこと蟻に喩えられる。

美しき魔女sorcièreに向って、もしも知っているのなら教えてやってくれ、と訴える。死の苦しみのきわまった心を、手負いの兵たちの山に埋もれ軍馬の蹄にかけられて息絶えつつある者に喩える。狼がすでに屍の臭いを嗅ぎつけ、上からは鴉が見張る。この瀕死の兵に、十字架と墓とを諦めなくてはならぬのか、知っているなら、教えてやってくれ、と訴える。

泥のような黒い空を照らすすべはないものか、と嘆く。瀝青よりも濃く、朝も夕もなく、星も葬送の稲妻もないこの闇を引き裂くすべはないものか、と。崇拝すべき魔女よ、とふたたび訴える。貴女は永劫の罰をくだされた者どもを愛するか。償い得ぬものを、悔恨を知っているか、と。呪われた歯でもって魂を嚙み噴む悔恨がまた、建物を土台から蝕む白蟻に喩えられる。そこから、陳腐な劇場へつながる。

悔恨 remords と後悔 repentir との区別もろくにつかぬ者が、このような詩を読んで、何がわかるか、と人に言われて、大いにそうかもしれない、といっそ気楽なようになったことがあるが、それもさて措く。そのような者の分としては、この詩の生まれた信仰圏にあっては神は生命の原理であり、光の原理である、ということを念頭に置くのがよいかと思われる。じつに大粗《おおあら》な大枠になるが、そのもとでこの詩を読むほうが、円蓋のもとにあるように、詩はよく響くようだ。

詩の結びのほうに extase という言葉が現われる。これが絶えて訪れぬということが、最後の悲痛と聞える。この extase をどう取るか。信仰の境への飛翔の前提である ek-stasis すなわち離脱の尾をなお引いているのか。あるいは、ennui に抗して心を振い立たせるところの芸術あるいは官能の extase とやはり限定すべきか。興とぐらいにもほぐせるか。しかもその場合でも、ennui というものを倦怠と取る前に、生命原理からの疎外とまず踏んだほうがよいか。

ところでリルケの「ドゥイノの悲歌」の第四歌の、空虚な舞台の前に留まって、ひたすら眺めるのに答えて天使と人形の、真の劇、純粋なる出来事の始まるのを待つという、その覚悟に至るまでに、詩の内で悔恨ははたらいているだろうか。

《私は間違っていないのではないか》とまずは悔恨と正反対の声に聞える。《父よ、私のために、私の生を嘗めたばかりに、自身の生の味を苦くしたあなた、私の必然の初めの暗い流出を、私の育つにつれて、再三にわたって嘗めては、奇異な未来をふくむその後味をしきりに訝り、先回りして見あげる私を、つくづくと眺めたあなた――死んだ後には、私の内に在って、私の抱く希望の中でしばしば不安に苦しみ、死者の特権である平然、平然の富を私のいささかの運命のためにいまも投げ出すあなた、父よ、私は間違っていないのではないか》

《そしてあなた方、私は間違っていないのではないか》とさらに呼びかける。《あなた方は私の愛のささやかな始まりに答えて私を愛してくれたが、その始まりから私は次第に離れた。なぜなら、あなた方の顔の内の世界が私にとって、それを私が愛したがために、宇宙へと変わって行ったので、その宇宙にあなた方はもはや存在しなくなったので》

この父と、ほかの親しい者たちへの、《私は間違っていないのではないか》という呼びかけがひとつに併さって、《私が人形劇の舞台の前で待つ心で暮らしていても》に、《そればかりか、身も心もあげて舞台を見つめているとしても》に、受けとめられる運びになる。

悔恨ではない。しかし悔恨と表裏であることは、是認を求める呼びかけの、いっとき切迫した口調からうかがえる。すでに答えを待たずに自身の必然へつく覚悟の口調でもある。悔恨のきわみをもう一歩むこうへ踏み込んだと言うべきか。その意味ではこれもまた、自己および世界の限定の外へ出た、すでにひとつのエク・スタシスではあるが、しかし、凝視に答えて天使がついに人形の糸を引き、天使と人形とにより、真の《出来事》が始まるのは、詩の内においてもあくまでも刻々の待望であり、詩の現在はおそらく常にその直前であり、さしあたり無限の域へ突出した、それ自体は荒涼とした境であるはずだ。

ここでもう一度ボードレールに戻って、一八六二年の詩から一節を、リルケの詩の待望の凝視、凝視の待望に向けて、置いて見たい。

——私の夜々の底に、神はその熟知した指でもって、ひとつの悪夢を、さまざまな形において、休みなく描く。

「深淵 Le gouffre」の内である。これも無限の中へ突き出された、あるいは詩に従うなら、無限の中へ墜落しつつある境になり、そこに出現するのは無ではなく、ひとつの悪夢である。しかもこの悪夢を絶え間なく、さまざまに形を変えて描き出すのは、ほかならぬ神なのだ。おそらく、ボッシュの祭壇画に留められた悪夢を描き出したのも神の奇異の業である、と中世末の当時には考えられたに違いない、それと同じ筋の伝統によるか。あるいは「聖霊」に去られ、「子」にも受け止められぬ、あらわな無限は、「父」の描く悪夢の空間と考えられたか。

リルケの詩の、人事を拒んで天使による人形劇の始まりを待つ、幕前の静まりの内にも、悪夢の危機はひそむ。これも悪夢との闘いの、ひとつの記録ではないのか。

3 晩年の詩

心の窓とか、眼を窓に喩える。しかしこれが老境の眼となれば、また別の味がするものだ。しかも、愛する小窓よ、と我が眼に呼びかける。

そなたらはすでにひさしく、こころよき光をわたしに恵んできた、物の像《かたち》をつぎつぎと内へ招き入れてくれる、しかしいずれは、そなたらの昏くなる時が来る、と。

いずれ、疲れた瞼が降り、そなたらが光を失うと、魂は安息を得、手探りで旅の靴を脱いで、みずからも暗い櫃の中へ横たわる、と。

魂のしまわれる櫃あるいは箱とは、われわれ日本人の伝統にとっても、親しい形象のはずだ。棺と取るにはおよばない。暗闇の中から魂はさらに窓の残光を眺めている。なおもふたつの光の粒のきらめくのを魂は眺める、ふたつの小さな星が見えるように、と。やがて光は揺らいで、消えかかる、あたかも一羽の蝶の翅のさやぎのように、と。詩の結びはしかし老境の最果ての、その手前あたりに留まる。人は夕日の中を逍遥している。

とはいえわたしはまだ、夕べの野を歩んでいる、沈みかかる日輪ばかりを道づれとして、おお、眼よ、睫の捉えたその分なりとも、飲みつくすがよい、世界のこの黄金に燃える余剰のうちから、と。

夕映えの豊饒から、せめて睫に掛かる分を、ということになるだろう。睫の一言に、老いた眼精の、残照をわずかに仰ぐ姿が見える。

ゴットフリート・ケラーの一八八三年の詩「夕べの歌」である。ケラーは一八一九年生の、九〇年没であるから、当時六十四歳、死の七年前の作になる。老年の感覚の機微はうかがえる。睫から眺める、とは絶妙な表現と思われる。ただし、病いを得た高年の読者は、しばし息苦しさにうなされるかもしれない。

このケラーと、スイスと北ドイツの間で親しく文通があったというテオドール・シュトルムにも晩年の佳作が見られるが、そのうちのひとつに一八七八年、六十一歳の時の詩がある。死の十年前になる。アグネス・プレラーという女性に宛てた短い詩であり、意味を書きくだせば、おおよそつぎのようになる。

——年数は尽きた。まもなく、人生に甘美さを添えてきたものは、すべて過ぎ去る。眠りに就く前に、青春が瑞々しい薔薇に託してわたしに挨拶を送ってくれた。これ以上のどんなよろこびを、わたしは望むだろうか。

晩にホテルの部屋にもどると若い女性から薔薇の花束が届いていた。その返礼の詩である。この女性はシュトルムの息子の一人の音楽教師カールの弟子にあたる。シュトルムはオルデンブルクのヴァーレルという街に息子を訪ねて、息子の伴奏によるこの女性の歌も聞いたようで、滞在三日の最後の晩、部屋にもどって花束をテーブルの上に見る。夏のことである。この女性はシュトルムの若い頃の知合いの女性の、娘さんだという。当年十九歳、と聞けば、薔薇の花束の瑞々しさは、読む者の目に染む。

眠りに就く前に、という言葉に高年の読者は心を留め、薔薇の赤さにいよいよ感じるだろう。旅宿の夜の部屋は、老年にとっては、いずれ寒々しいものだ。同じシュトルムの一八八六年、死の二年前にこんな詩がある。

この風だ、この故郷の声音だ。
これを追って子供は目を瞠り、
これが唸りつづけると、耳をやって眠り、
これがいきなり止むと、目を覚ます。

これが降りかかると木も藪も慄えて、
いよいよ深く地に根を降ろす。
君もまた木や藪と異なった何者だろうか。
芽生えて、花咲き、君も枯れていく。

故郷と言っても遠くにあって想っているのではなく、シュトルムが生涯の幾つかの時期を除いて大部分を過ごした北フリースラントの地である。風は北海から広大な干潟を渡り、先祖たちが命を懸けて築き拡げた堤防を越して寄せてくる。夜更けに風が止むと、干潟の彼方から、遠い潮騒の声が聞えてくることもあるという。

神さまは人間たちに運命の、つましい分け前しかあたえてくださらなくなりました、とたしかシュトルムのどれかの小説の中で、老人が生涯を回顧していたはずだが、そんなこともこの詩と思い併せられる。このきっぱりと限定された生涯および運命の情感が、シュトルムの周辺の詩人たちの特徴であり、前代とも後代とも異なって貴重なものである、と私などは考えている。

エドゥアルト・メーリケにこんな詩がある。八行と十行の二節から成るが、行替えして訳すのも難儀であり、私などがそんなことをしてもあまり意味がなさそうなので、書きくだしておく。

——小さな樅の木がどこかの森に、薔薇の木がどこかの庭に生えている。どこの森と知れようか、どこの庭と言えようか。しかし樅も薔薇もすでに選ばれてあるのだ。魂よ、そのことを思え。やがてお前の墓に根をおろし枝を伸ばすことになろう。
黒い小さな馬が二頭放牧地で草を食んでいる。やがて馬たちは元気な駆足で町へ帰る。この馬たちが静々とお前の柩を引くことになるだろう。おそらく、おそらくは、わたしがいま目の前に見る、地を叩いて光るこの鉄が、馬たちの蹄から落ちるその前に。

「魂よ、このことを思え」が表題である。墓に樅の若木と薔薇を植える風習があったものと見える。どれとはまだ定まっていなくても、いずれ、いまどこかに植えられているのだから、すでに選ばれてあるとは、死を思う心には、そう言えるのだろう。無常迅速を、駆ける馬の蹄鉄の「電光石火」に見るというのも、意表を衝く着眼である。農耕馬駄載馬の姿のほうがこの場合、ふさわしい。しかしこの詩が何年の詩か、私は知らない。メーリケは一八〇四年生の、一八七五年七十一歳の没であり、たぶん一八六〇年前後、五十代末の作と私は見ているが、もっと若い、中年の作でもあり得る。晩年はあらゆる年齢に遍在するわけだ。

五十歳で生涯を閉じた詩人の、四十四歳の作は、晩年の詩のうちに入るだろうか。あるいは老年の詩とも言えるのかもしれない。フリードリヒ・ヘッベルの一八五七年の詩に、「秋の歌」と題する詩がある。これも訳しくだす。

——このような秋の日は見たこともない。あたかも人がほとんど息をつかずにいるように、大気は静まり返っている。それなのに、あちこちでさわさわと、木という木から、世にも美しい果実が落ちる。

乱さぬがよい。この自然の祭り日を。これは自然が手づからおこなう穫り入れだ。この日、枝を離れるのはすべて、穏やかな陽ざしの前で落ちる者ばかりなのだ。

静かな光を浴びながら枝々からひとりでに降る果実は、それ自体は凋落であっても、秋の日の光景の全体としては、中年の飽和を表している。穫り入れの祭り日という表現も、老年のそれではない。差しているのはあくまでも陽光であり死の影ではない。しかし天気晴朗のもと、人がおのれの寿命を、何時までの命ということではなく、いまこの時に感じることはありそうだ。予感ではなくて現在の感覚である。ついでながら、ボードレールとくらべると、ヘッベルのほうが八歳年長になる。

秋の日に、生涯のおそらく至点の静寂を歌いながらいかにも硬質な言葉づかいの詩であるが、これに劣らず硬質な言葉により、これに劣らず深く静まった時を、あるいは時と時とのはざまを表わした詩が、コンラート・フェルディナント・マイヤーに見える。マイヤーは一八二五年に生まれ、精神の病いに苦しみながら七十三の年を享けた詩人だが、この詩は晩年というより前の、中高年期のものである。「おさめた櫂」という題に訳せる。櫂をおさめるとは、オールを舷側へひきあげることである。夕暮れのボートのあがりの情景になる。ちなみに、マイヤーはテューリッヒの人である。

おさめたわたしの櫂から水が滴り、
雫はゆっくりと深い水に落ちる。

心を悩ませたものも、喜ばせたものも尽き、
苦しみのない今日が流れ落ちる。
そしてわたしの下では、ああ、光の中から失せて、
わたしの生涯のより美しかった時たちがすでに夢を見ている。
青い水底から昨日が呼びかける。
光の中にはわたしの姉妹たちがまだ幾たりも残っているのでしょうか、と。

一日、あるいは半日、無心にボートを漕いでいた、その日の暮れとでも考えればよい。水底には過去が沈み、水面の上の夕映えの中には、現在や未来というよりは、過去の姉妹たちが、まだ過ぎ去らずに、漂っている。水底からの問いかけは、聞きようによっては、凄艶に響く。いや、雫の音も聞えぬ不細工な訳だが、解説を加えるのも無用である。無苦の一日とはいずれ至点であり回帰点であり、死と呼びかわす。

この詩は一八八二年、マイヤー、五十七の歳に世に出た詩集にふくまれているそうだが、それから五年後に詩人は一年にわたる病いにかかり、さらに四年後、六十七の歳にふたたび病いに沈んでいるという。

また、マイヤーの母親はマイヤーの三十一の歳に入水しているという。

4　生者の心をたよりの

長年忘れていたものを、そろそろ思い出さなくてはならぬ時期に来たか、とこの本を手にして感じた、と私はある書評のコラムで書いている。もう六年半も前のことになる。忘れていたものとは、ドイツ十九世紀の劇作家、フリードリヒ・ヘッベルのことである。この本とは、谷口茂氏の著作『内なる声の軌跡　劇作家ヘッベルの青春と成熟』である。ある日、冨山房から届いたこの本を手にするまで、私はほんとうにヘッベルのことを忘れていた。忘却の期間は私が職業作家というものになってからそれまでの二十二年、あるいはもっと昔までさかのぼるかもしれない。

フリードリヒ・ヘッベル（一八一三――六三年）はドイツ文学においてシラー以後、唯一の悲劇作家とまで言われた詩人である、とこんな紹介をこの欄の頭にふることになろうとは、若い頃の私には思いも寄らぬところだった、と私はさらにコラムに書いている。思いも寄らぬところとは、自分がこれほどまで遠くドイツ文学の門外へはずれてしまった現在の感慨もあるが、それよりも、昭和三十年代前半の独文科の学生の頃から、私はこの大家を苦手としていたのだ。その存在を思うだけで苦しいということはあるものだ。だから、と言うべきか、そのくせ、と言うべきか、ヘッベルの作品はほとんど読まなかった。しかもヘッベルの数々の大作については、文学史を読んでおおよその内容には通じていた、いや、通じさせられていたという、ヘッベルにたいしては「悪い条件」にあった。

谷口氏は私の旧知である。だから本を手にして著者を懐かしく思いはしたが、ヘッベルのことを考えれば、やはり敬遠して棚にあげるのが私としては穏当なふるまいだった。ところがその当時、私は大病を患ってからちょうど一年になり、病気をするといろいろと変わるものだが、本を読むのもなるべく機縁にまかせるようにしていた。昨日まで念頭にもなかった本を、今日は熱心に気長に読んでいる。

ヘッベルには生涯を通して大部になる日記がある。谷口氏はヘッベルの生涯の節々でその日記を翻訳紹介しながら詩人の軌跡をたどっていく。そして私はようやく思い出した。苦手のヘッベルについて私が最後までこだわった一点は、やはり読んだこともないこの日記の存在だった。カフカがヘッベルの日記を熱心に読んでいたらしいのだ。そのカフカ自身の日記を私は卒業論文の基礎としていた。おそらくヘッベルの日記へのこだわりが消失した時に、ヘッベルの存在も忘却されたのだろう。若い頃ろくに読みもせずにただ苦しがって逃げていたその一部を読んでも、いかにも、苦渋の日記である。まんざらはずれてはいなかった、と得心させられた。そこに「天才」がいる、「詩人」がいるのだ。天才はともかく、詩人をどうして、括弧にくるのか。それより後世の詩人たちと異って、悲劇詩人、大悲劇を志す質の精神であるからだ。ゲーテの没したのが一八三二年、ヘッベル十九の年であるから、不思議はないようなものの、しかしすでに悲劇詩人を受け容れる時代でなかったことは、日記の苦渋さからうかがえる。

しかしおのれの天分を、「召命」と感じる心性が、あきらかに、まだ濃く存在している。これは生年がわずか八年遅れるボードレールも同じことなのだろうが、ヘッベルは北ドイツのフリースラント、テオドール・シュトルムと同郷の、貧しい生まれ育ちの人である。その「天才」はボードレールほどには、闊達奔放な展開を望める境遇にはなかった。それ故、日記は自恃と屈辱と猜疑と、ヒポコンデリーの記録であり、それにつれて肥大する自我の、苦悩の軌跡でもある。しかしまた、すでにロマン派ではなく、もうひとつ踏みはずせば「地下生活者」に落ちかねぬ精神の危機の諸相を孕んでいる。

しかし「天才」にとって、世界理念の存在がまだ信じられ、悲劇がまだ可能だと思われた時代ではあったのだ。ただし、自我の解放が全体の摂理からの逸脱として、必然的に罪となり「悪」となり、その破滅が摂理の成就と受けとめられる、そのような構造であるらしい。

五十代のなかばの、病みあがりの心身には、一端をのぞくだけでも、つらすぎた。谷口氏の訳中に見える日記のこんな一節の、詩人のナイーヴな喜悦の一時《いっとき》と、その底に見える陰鬱とに感じるだけに留めたものだ。

――午後の四時だ。雨が音を立てて通り過ぎ、日光が雲間から射している。春の天候だ。今、街から帰ってきた。ノヴァーリスの本を買ってきたし、コーヒーはテーブルの上に載っているし……。

それから五年半ほどして昨年の秋に、ドイツのブッククラブから届いた本のうちに、ドイツの詩のアンソロジーがあり、半年後でも一年後でも気が向いたら読むつもりでいたところが、年の暮れにたまたま閑になり、フッテンやルターから起こしているので、ゲーテの手前あたりまで行くかとぼつぼつたどるうちに、ヘッベルまで来てしまった。八篇ばかりおさめられた中の冒頭の詩がまず思いのほか楽に読めて、すぐにつぎへ移ろうとしたら、そこにもう一度、つなぎとめられた。「夜の歌」と題する。下手でも訳さないことには、話が続けられない。

湧きあがり、満ちあげる夜
灯と星を一面にちりばめて。
悠久の遠方から、あれは一体
何が目を覚ましたというのか。

心臓は胸の内で圧しふたがれ
昇りそして傾く生命の
巨大な蠢動をわたしは感じる。
それはわたしの生命を押しのける。

そこへ、眠りよ、お前はひそかに

小児の怯えに応える乳母のように近づき
そして乏しい明かりのまわりに
護りの環を囲いこんでくれる。

こんなところで御容赦願いたい。率直な詩である。ナイーヴと言ってもよい。しばらく立ち停まり、一瞬深く吸いこんで、こちらの息が切れたところで離れるのが、穏当な読み方かもしれない。そう思案して、しかしもう一瞬、遠方から差してきて「わたし」の命を押しのけかかる万有の生命の蠢動を逆にたどりかえし、吸いこまれかける感覚からその遠方を想い、あの蠢動とこの生命は所詮同質のものなのか、とこれこそ息切れの中から訝りながら、やはりそこを離れた。

つぎに置かれたのが同じような眠り際の切迫と安堵を歌った夕べの詩で、そのつぎが夕暮れの霧の中の、大波の立つ池でつがう白鳥の「男女」の、性と死を歌った、ヘッベルの詩のうちの絶品であるが、これを仮にも訳すのは私の手に余るので割愛する。そのまたつぎに来るのが、「苦にもその理」とでも訳せそうな長い詩の四連目らしい。

眠る、眠ることだ、眠りのほかは無用
　目覚めもいらぬ、夢もいらぬ。
風と寄せて身に触れる何やらの
　かすかな記憶すら知らぬ。
まして、溢れる生がこの静まりの中へ
　響き降りて来ようものなら
いよいよ深く身を包みこみ
　いよいよ固く目を閉ざすまでだ。

さて、このたびの私の関心はつぎの詩にある。鎮魂歌、レクウィエムである。ただし、詩の呼びかけるところの魂は、生者の魂になる。死者たちのために、生者の魂に訴えかけている。

魂よ、あの者たちを忘れるな
魂よ、死者たちを忘れるな

見るがよい、死者たちはお前の周囲に漂う
わななきながら、打ち棄てられて。
そして愛の掻き起した
聖なる炎によって、あわれな者たちは
暖を取って息をつき
燃え尽きんとする生命に
これを限りにひたっている。

魂よ、あの者たちを忘れるな
魂よ、死者たちを忘れるな

見るがよい、死者たちはお前の周囲に漂う
わななきながら、打ち棄てられて。

そしてお前が心を冷くして
あの者たちに閉ざすなら、あの者たちは
奥底まで凍えてこわばる。
すると夜の嵐があの者たちを捉えて
それまで内へうずくまりうずくまり
愛の膝に縋り堪えていたのをひきさらう。
そして嵐は死者たちを怪異の類ともども
はてもない荒野へ追い立てて行き
その境にはもはや生命もなく
解《ほど》かれたもろもろの力の
新たに成る存在をめぐる
闘いがあるのみなのだ。

魂よ、あの者たちを忘れるな
魂よ、死者たちを忘れるな

死者のための鎮魂ミサの起句、requiem（peace）aeternam（eternal）dona（give）eis（them），Domine（Lord）——永遠の安静を彼らにあたえ給え、主よ——を、鎮魂歌の本来とするならば、このヘッベルの詩は、神に呼びかけるのでもなく、死者たちのために永遠の安静を祈っているのでもないので、鎮魂歌ではないと言える。解体と再生成の荒野へ吹きやられれば、死者たちはすでに固有の魂ですらない。死者たちを「あわれな者」たちとも呼んでいて、これは煉獄にあって時にはこの世へ代願、神への取りなしを乞いに現われる死者たちの呼称ともなるのだそうだが、この詩の場合はわれわれの中陰、今生と未来生との中間に魂がまだ漂う時期、その観念のほうに近い。しかし中陰と言うには、その時間はあまりにも短いようだ。

死者の出た夜に家の屋根にあがって魂を呼び返すという風習が我国にあったそうだが、むしろそちらへ通ずることか。ついでながら、夜の棟にまたがって魂を呼ばうとは、どんな気持がすることか。それでいて、野辺送りが済めば、背後も見ずに早足で帰ってくるという。

解体と再生の混沌とは神なき時代の荒涼を告げるものと取られるところだが、仏教徒の不生不滅の表象にも適わないことではない。しかしそれと受けとめるには、詩の口調が違いすぎる。再生を闘争としているのだ。

とにかく、どのあたりに留まっているのか。愛の残り火に暖を取ってつかのまの安堵の息をついている死者たちの姿を思い浮かべるのは、やはりつらい。吹きつける嵐にたいして、内へうずくまりこみ、愛の膝に縋って、ようやく堪えている。それが、生者の心が冷えると、自身も真底まで凍えて、手足の力もこわばり利かなくなり、嵐にもぎとられる。わずかな中陰のたよりは、生者の心であるらしい。

死者たちが生者のすぐ身のまわりにも漂うとすれば、嵐は暖められた部屋の内をも、生者に気づかれずに、吹き抜けているわけだ。

しかし、ヘッベルの詩は、生者と死者と、ほんとうのところ、どちらの側にあるのだろう。鎮魂歌と称しながら、いくらかは、死者の声になっているのかもしれない。

昨年の晩秋から年末にかけて、日に日に葉を落としていく樹々の枝や幹が妙にくっきりと目に映って、その存在が目に染み、こんな明視感に取り憑かれるのは、ロクなことの起こらぬ兆候だぞ、などとつぶやいては、ロクなことを考えないと苦笑していたところが、年が明けると眼の病いがあらわれたものだ。

5　鏡の内の戦慄

ドイツ最大の女流詩人とも仰がれた、アンネッテ・フォン・ドロステ＝ヒュルスホフAnnette von Droste-Hülshoff の名は我国ではわずかに、小説「猶太人《ゆだや》の山毛欅《ぶなのき》」の著者として、高年の外国文学愛好者の記憶に留まるばかりなのだろう。生年は一七九七年、没年は一八四八年、フォンの称号が示すように貴族の生まれであり、ヒュルスホフとはドイツ北西部のヴェストファーレンの旧都ミュンスターの西郊に、一族が代々拠った館の名でもある。水濠に囲まれた城であるらしい。その建物は現在でも遺っているという。

アンネッテ・フォン・ドロステ＝ヒュルスホフと言えばたちまち、忍従と禁欲の生涯を送った女性の「神話」につつまれる。古城の夜をひとり思いに耽り歩む姿が連想される。若いうちに恋愛も自立も断念して、老母を初めとして、一族の高年者たちの介護に仕えたということは、事実であるらしい。半端ではなかったようだ。また詩人としては、迫り来る近代にたいして、その侵蝕と解体にたいして、信仰と伝統の保持を唱える立場にあった。詩の態度もおしなべて峻厳と言える。しかしアンネッテ・フォン・ドロステ＝ヒュルスホフの名が世にひろめられたのは詩人の没後およそ三十年、ドイツ第二帝国の、宰相ビスマルクの時代の、「文化闘争」の最中《さなか》のことなのだそうで、プロテスタントとカトリックの両陣営が競って、また争って、詩人の存在をそれぞれ、あたかも我が陣営の守護聖女のごとく、喧伝しあったのだという。おそらく両陣営に共通の危機感から発したことなのだろう。「神話」の生まれた所以でもある。現在ではそのような「イデオロギー」から脱した、闊達な光が詩人の生涯と詩作にあてられているそうだ。この世紀も押し詰まったところまで来て振り返れば、別の見え方もするのかもしれない。

人物像の虚実については、私はわずかな判定もつけられない。アンネッテ・フォン・ドロステ＝ヒュルスホフの生涯についても詩作についても、ほとんど知らないのだ。例によって、たまたま巡り会った一篇の詩のもとに、これをたどたどしく訳しながら、しばらく逗留するまでのことである。

題して「鏡像」という。鏡に映る自身の顔を眺めた詩である。晩年の作と思われる。七行の六連から成る。二連ずつ訳しては息を入れることにする。そう楽に読める詩でもないのだ。

水晶の内からあなたはわたしを見る
その眼は霧にこめられ
薄れゆく彗星のよう
その面差しの内には妖しや
魂が二人互いに密偵のように徘徊する
そしてわたしはつぶやく
幻影よ　あなたはわたしに似ていない

夢の隠家からただ迷い出た幻
この温い血を鉄と凝らせようとて
この黒い巻毛を褪せさせようとて
それでもなお　ほのかに光る
奇妙にもふた色の光の差す顔よ

もしもあなたが近寄るなら　わたしの心は知れない
あなたを愛しむのか　それとも憎むのか

一連の最後の行はいっそ逆転して、「わたしはあなたのような者ではない」と、拒絶の反応を際立たせるべきか。大胆な訳は避けた。二人の魂、ふた色の光が、続く連への繋ぎとなる。

あなたの額の玉座
かずかずの思いが奴隷となり仕える
その玉座をわたしは畏れ仰ぐことだろう
しかし凍りついたその眼
死せる光を湛え　もはや砕けかけ
亡霊めく眼から　わたしは物怖じする客にひとしく
遠くへ腰掛けをすさらせる

そして口もとに穏やかに
柔らかに寄辺なくさざめくものを
わたしは大切に護り匿いもしよう
しかしまたその口が嘲笑の色を浮かべ
引き絞った弓から狙いをつけ
そして陰翳がひそかに顔じゅうに走るなら
獄卒を前にしたようにわたしは逃げ出そう

三連目の第二行の「思い」は折々の思い、年々の思いとも訳せるだろう。その中には往年の、あるいは現在も遺る、憧憬や思慕もふくまれるはずだ。それらの思いが意志の玉座にいまや奴隷として従っている。ところがその玉座たる額の下で、眼はすでに死につつある者のそれに変わりない。「砕けかけた」は、喪神者や瀕死者に見られる、眼光の濁りのことである。

額と眼、意志の独裁と内面の喪神、これが三連目にあらわれる二重性とすれば、四連目には柔和と陰惨との二重性が見られる。六行目は「掘り返す」あるいは「うごめく」という意味の自動詞を非人称に使って、その動きが顔の線という線に走る、と変貌が目に浮かぶようなところだが、走る「それ」は瞋恚であるか憎悪であるか、支配欲であるか破壊欲であるか、とにかく、「獄卒」の心象に受け止められる。

見紛うかたもなく　あなたはわたしと異なる
わたしが近づくにはモーゼに倣って
靴を脱がなくてはならぬ異なった存在
私の識らぬ諸々の力に満ち
異なった苦と異なった楽に満ち
あなたの魂がもしもわたしの胸の内に宿り
まどろんでいるとしたら　神よ　お慈悲を
それでもわたしは縁者のように
あなたの戦慄へ呪縛されている

そして愛は　是非もなく　恐れとひとつになる
まことに　もしも水晶の円盤の内から
幻影よ　あなたが生きてここに降り立つなら
わたしはひそかに震えるばかり
おそらくは　あなたのために　涙を零すことでしょう

靴を脱ぐとは、旧約聖書の出エジプト記の第三章、ホレブの山で棘《しば》の燃えるその中から ヤーヴェがモーゼを呼び、そして戒めた、「それより近寄ってはならん。靴を脱げ。お前のいま立つところは、聖なる地なのだ」から来る。

五連目では鏡の内の影に近寄るにはわたしは靴を脱がなくてはならないが、六連目ではもしも影がわたしのもとへ降りて来るなら、わたしはただ震えて見まもり、涙を零すだろうとある。おそらく、鏡の内なる者のいたましさのために。

無用の説明か。

自身の訳を読み返して、これはまずいな、根本のところが間違っているのかもしれない、とこだわりがふくらむ。これでは悲劇の一場面の、鏡に向かう独白ではないか。観客のいる雰囲気である。

独白すら鏡の内に閉じこめられてしまうような、そのような詩と感じて、訳しはじめたはずなのだが。

6　鳴き出でよ

豚に真珠というところか。私などには所詮活かしようにもなかった知識を、若い頃にはあれこれ溜めこんだものだ。あんな無用の事どもを覚える閑があったのなら、今ごろはとうに失われた町の風景でも、もっとつくづく眺めておけばよかったのに、と後年になり悔まれることもあったが、さらに年を重ねて、それらの知識もすっかり薄れた頃になり、その影ばかりに残ったものが、何かの機会に、頼りない足取りながら、少々の案内をしてくれる。たとえば、

何者だ、われら人間は。堪え難き苦の栖、

偽りの幸福の舞踏会、時勢の鬼火、
身を切る懊悩に占められた苦き不安の舞台、
やがて融ける雪　やがて尽きる灯。

人生は一場の饒舌冗談と過ぎる。
われらより先に脆き肉体の衣を解《ほど》いて、
大いなる定めの、死者の書へとうに
記された者たちは、われらの記憶にもない。

空なる夢はたやすく忘れられ、
逝く水はいかなる力にも留められぬように、
われらの名も、栄誉も栄光もすべて消える。

今息を吸う者はいつか空気とともに散り、
われらの後に来る者も追って墓に入る。
何をか言わん、われらは強風の前の煙にひとしい。

アンドレアス・グリュウフィウス Andreas Gryphius の、「人間の悲惨」と題するソネットにアンソロジーの中で出会って、しばし読み込む気になったのも、もはや幽霊のごとくになった知識の手招きによる。グリュウフィウスと言えば、われわれの読まされた文学史では、十七世紀ドイツ文学の「ビッグ・ネイム」である。ドイツバロック文学の代表的詩人と教えられた。主要な悲劇の、荘重にして凄惨な内容まで解説されて、知ったような気になったものだ。二十年足らずで、すっかり忘れた。その作品を一篇も読んでいないので、忘れるのに世話はなかった。このたびの縁は、路傍の立札をたまたま目にとめて、霊験あらたかだとは永年聞いていたが、ついぞ参ったこともなかったので、このついでにちょっと立ち寄って拝んで行くか、と辻を折れる年寄りの心である。

ついでにまた、訳してまで見ることとなった。深甚なる「言葉」でも、それ以上深く浅くも読めないものは、読む気になれない、とながらくそう思って来た。まして訳すのは、仲介の義理でもない限り、やる甲斐もない。しかし、読んでいて、心地が良かったのだ。語弊はあるだろう。この詩の、この言葉である。読む者はこの年だ。心地良いとは軽薄の誇りをまぬかれないが、いささか骨身に染みてはいるのだ。骨身に染みながらのこの愉楽みたいなものは、じつはてんで分かっていないしるしだ、と思うにつけても、詩からの風が軽き身に一段と染み、しかも寒いはずの骨が、どこかで花の色に染まってくる。無常を伝える詩とは人の心をまた、浮き立たせるものではないのか。
「重い病いの床の涙」と題する詩にも立ち寄って見た。

どうなってしまったのか、溜息を吐くばかり。
昼となく夜となく泣いて、幾千の苦に屈し、
さらに幾千の不安にさいなまれ、心臓の力は
失せて、生気は掠れ、両の手は沈む。

頬は蒼ざめ、強き眼光は
消えて、燃え尽きた灯、
魂は嵐に揺すられて三月の海のよう。
人生は何なのか、われら、私と君らは何者か。

何を恃《たの》むのか、何を得んと願うのか。
今は頭をもたげ背を伸ばしていても、明日は草の下、
今は花でも明日は糞土、われらは風、われらは泡、

少時の霧にすぎず小川にすぎず、置く霜置く露、影にすぎず、
今は何者かでも明日は何者でもなく、そしてわれらの所行は、
苦い不安の遍く混じる一場の夢にほかならぬ。

「大時代」のソネットにふさわしからぬ、冒頭の訳の口調になったが、私の体験から自然に応えて流露してくるのはこの締まりもないような、「どうなってしまったのか」なのだ。精神 Geist——ここは生気と逃げたが——と言い、魂 Seele と言い、いつものことながら、盗人のような、いや、万引とまで下げてしまったほうがよいか、自他の目を憚る心で言葉を掠めている。しかし骨身に寒くて、妙に心地良いことは、近頃入院を度重ねている者として、ひとしおである。
早めに切り上げるつもりが、つい立ち停まってしまうこともある。「時を眺める」と題

する、わずか四行の詩があった。眺めるとは観想のことである。

時の奪い去った年々は　わたしのものではない。
これから来るだろう年々も　わたしのものではない。
瞬間はわたしのものだ。瞬間を深く想うならば、
年と永遠とを創られた御方は　わたしのものだ。

立ち停まったところで、詮ないのだ。胸に想いは満ちかけるが、或る境から、仮の充足にも至っていないのに、いっそう空っぽになり、眼も頭もなく、純然たる節穴として、ただ眺めるばかりになる。「御方」はともかくとしても、「年と永遠と」は私の手に余まる。因みに、年は単数である。昨年も今年も来年も、ないわけだ。

空っぽのままに一種張りつめた間《ま》をもてあまし、脇の立札の説明書きをうわのそらでたどることが、あるではないか。グリュウフィウスの生年はシェイクスピアの没年にあたるという。しかもその二年後にはかの凄惨なる三十年戦争が始まる。ということは、ヴェス

トファーレン条約によって戦争が一応の終結を見た時には、グリュウフィウスは、少年期も過ぎ青年期も過ぎ、三十二の歳になっている。

現在はポーランド領になるシレジア地方の新教徒、厳格なルター派の聖職者を父に持ち、自身も敬虔な新教徒であり、三十年戦争後には、ハプスブルク家を後楯とするカトリックの失地回復の攻勢のために、さまざまな辛酸を見たという。没年は一六六四年、四十八歳。

グリュウフィウスと言えば、グリンメルスハウゼンと来る。かたや十七世紀ドイツバロック文学の悲劇の代表者とすれば、こなた喜劇的なものの代表者のように、若い頃に教えられた。日本でも訳されて文庫に収められたことのある、「ジンプリツィシムス物語」と言う、歯切れの良い諧謔に貫かれたアドベンチャー・ロマンの作者であり、土俗とその悲惨によく通じて、野卑に落ちるのも顧《かえりみ》ないので、庶民に近い出自の人かと思い込んでいたところが、そのフルネイムはハンス・ヤーコプ・クリストーフェル・フォン・グリンメルスハウゼン Grimmelshausen と、フォンの称号のついた貴族である。その生まれ故郷のゲルンハウゼンまでたまたま訪れながら、そんなことにも長年気がつかずにいたものだ。

一六二一か二二年生の、一六七六年没、やはり三十年戦争の間に少年期を送った人である。

さらに、こんな詩があるのか、と驚かされた。「ジンプリツィシムス物語」を翻訳で読んだほかは、一篇も読んでいないので、驚くのもおかしいようなものだが。無題のようだ。ナイチンゲール、ドイツ語ではナハティガールになるが、夜の鳥に呼びかけた詩である。舌に甘たるいが、小夜鳴鳥《さよなきどり》という言葉を使わせてもらう。敬神の詩ではあるが、一曲《ひとくせ》あるように感じられる。

来たれ、夜の慰めの、小夜鳴鳥よ。
そなたの声を歓喜の音《ね》に
こよなく美しく響かせよ。
来たれ、来たれ、そなたの創造主を称《たた》えよ、
ほかの鳥どもが眠り込み
もはや歌わぬこの時にこそ。
そなたの声を高く張れ、

鳴けばそなたは誰よりも先に立ち、
天の高きに在《ま》します
神を称えることができる。

日の光は去り、
われらは闇に閉ざされたが、
それでも神の慈愛と全能を
誉め歌うことはできる。
夜もわれらが讃美を行うのを
妨げることはできぬ。
それゆえそなたの声を高く張れ、
鳴けばそなたは誰よりも先に立ち、
天の高きに在します
神を称えることができる。

木霊の荒き返しも

この歓喜の音に加わらんと
名乗り出で、
われらをつねにおしひしぐ
疲労を残らず払いのけ、
眠りを誑《たぶら》かすすべを教える。
それゆえそなたの声を高く張れ、
鳴けばそなたは誰よりも先に立ち、
天の高きに在します
神を称えることができる。

夜空の星々も
神を称えんと現われ、
神の栄光を証かす。
歌えぬ梟ですら
洞ろな声を挙げて、
神への讃美に参ずる。

それゆえそなたの声を高く張れ、
鳴けばそなたは誰よりも先に立ち、
天の高きに在します
神を称えることができる。

鳴き出でよ、我が愛する鳥よ。
われらは最後の怠惰の者となって
眠りこけていてよいものか。
やがて曙の光が
荒涼の森を喜ばすまで、
神を称えて過ごそう。
そなたの声を高く張れ、
鳴けばそなたは誰よりも先に立ち、
天の高きに在します
神を称えることができる。

後世のシューベルトの曲になるセレナーデへ、はるかにつながって行く詩ではある。あれは恋歌、これは敬神の歌だが、恋と敬神とはもともと相通じるものである。しかし、敬神の詩には違いないが、それにしてはすこし異なものが聞えはしないか。

まず、この時代の詩にうたわれる夜とは多く、甘美な思いの解放される時よりも、暗黒と恐怖、苦悩と絶望、そのあげくに神を頼む心の兆す時であるらしい。闇に閉ざされるとある。つねにおしひしぐ疲労とある。われわれがつねにそれに屈しているところの疲労である。その疲労を、森の谺《こだま》なのだろう、野生の反響が追い払う。さらに、眠りを誑かす、眠りを惑わし騙すすべを、人に授けてくれる。眠りもまた、疲労とともに、人の上に重くのしかかっている。

しかし、鳥はまだ鳴いていない。谺の呼びかわしも、予感でしかない。鳥が鳴き出せば、谺が応えて、日夜の疲労を追い払い、空の星々も歌い、梟までも讃歌に参ずる。森中が歌い出すと取ってよいのだろう。

われわれは最も怠惰な者として眠りに留まっていたくはない。朝まで神を熱烈に称えていたい。

敬神の詩ではある。しかし、深い疲弊の床から、鳥の一声に呼び覚まされて湧き上がる、天地を覆ってひろがる、オルギーを願う心がひそむのではないか。あるいは、官憲が耳にすれば、やや剣呑と危惧されるところのある詩であったのかもしれない。

7　莫迦な

霧と氷雨に閉ざされた巴里の陋巷で姿形のそっくり同じ老人につぎつぎ、七人まで出会う、というボードレールの詩「七人の老人」を、いまさら自分の手で訳してみる了見はない。諸先輩方の数々の労作にまかせる。

しかし近年になり、この老人たちの姿が、面相と歩行とが、私の目にやや見えてきた。今まで見えなかったのではない。これを読んでそれが見えないというわけには行かない。だからこそ、青年期から中年を経て老年の境に至るまで、この詩を読んでは、そのつど反復の戦慄に撫でられたのではないか。暗然として詩から目を背け、それから何年もして、反復の恐怖に一抹の魅惑が混じっていたように思い出されて読み返してみれば、そんな甘いものではなかった、と荒涼を噛みしめさせられる。同じことを幾度でも繰り返す。読むこと自体に反復の、悪夢の味が伴う。生涯の反復である。

あの詩のような、あれとおおよそにも似た、いや、ほんのわずかでもあれに通じる、体験をしたことはあるか、と友人にたずねたこともある。二人まではあるな、待てよ、三人だったか、と友人は考えこんだ。三人まで繰り返されたら、気が狂うぞ、と私は待たずに押っかぶせた。ひとつ、ふたつ、たくさんという原始の算法がわれわれの内に深く埋め込まれているはずだから、わずか二人でも、まだ有限の域ではあるが、すでに無限を覗く、と考えるとそれだけでゾクリとさせられた。二人までは日常、まれにしても、有り得ることなのだ。しかし二人目に出会えば、さらに続々と現われそうに、恐れる。それはまだしも、もしも、この二人目と気がついたのが、じつは七人目だった、と思い出しかけたとしたら、どうする。あるいはすでに、詩人が見ることを拒んだ八人目だった、といまさら分かったとしたら、もはや逃げても間に合わない。まさにfatalである。とそんなふうに我身のこととして怯えていたのだから、詩から老人の姿は見えていたはずである。ところが、老境の入口まで至って、我身は我身でも、見る詩人の側ではなく、見られる老人の姿のほうがようやく、ようやく我身のこととして感じられるようになってきた、と言うところか。

眼の内から悪意の光さえ差さなければ善男善女の喜捨の雨を降らせそうな相貌、か。胆汁に漬けられたような瞳、氷雨の冷たさをよけいにきつくさせるその目つき、か。雪の泥道に難渋するその足取りは、まるで地下の死者たちを古靴で踏みつけにするようで、世界にたいする無関心よりも、敵意を思わせる、か。

境遇のことは、この際、敢えて置く。綺羅も襤褸も所詮変らぬとする。年が寄れば、おのずと、悪意も煮詰まる。生涯の悔も恨も怨も、ほかの情念の衰えるにつれて、肥大する。年が寄るとは、悪意の寄ることでもある。浮世の果ては皆小町なり、とは芭蕉翁の名句であるが、これをもじって、浮世の果ては皆悪尉《あくじょう》なり、ところもなかなか上出来でないか、とそのように、七人の老人を眺めておのれの先行きをひそかに憫れむのはしかし、まだ盛んな壮年の内のことである。

あのように悪意に満ちた姿形に見えるには、何も黒々とした悪意を抱くこともない、老い果てるだけで充分なのだ、悪意も無用、善意に満ちていても同じこと、と思うようになれば、いよいよ老境に入りかけたしるしである。

ひとつ老人になって見るがよい。直角ほどに折れた腰に、低い杖を衝いて、雪の降っては融け、融けては降る泥濘に立往生もせずに行く時に、天へ向けて地へ向けて人へ向けて罵詈雑言、冒瀆《ブラスフェム》のつぶやきはのべつ口から洩れることだろうが、悪意が主役となって割り込む余地はあるだろうか。悪意どころか、歩行そのものが、真剣のきわみにあるのだ。

またそうでなければ老体は、進退谷まるか、あるいはたちまち泥の中に倒れる。ところが、道理にも情熱にも伴われぬ、喜怒哀楽にも見捨てられた、もっぱら必然に刻々追い立てられるところの、剝き出しの真剣さこそ、人が端から見れば、これほど悪相に見えるものはないのだ。

しかしこれら忌まわしき怪物どもはひとしく永遠の相をあらわしていた、と詩にはある。当然、そうだろう。人の老い果てた姿は、個別を超えた、永遠の相を成す。それぞれ個人の怨恨のあらわれた姿なら、反復になりはしない。

ironique et fatal とある。読む者の心の音鍵を、明晰で不吉な手際で打つ言葉である。fatal という言葉を、ここで会ったが百年目、というような方角へ取ったら、どうか。百年目の出会いが一度限りの邂逅ではなくて、永劫のごとき反復であったとは、すぐれて ironique である。しかしこのアイロニーという観念が私などにとっては、存外、むずかしい。ロマン派の跡を踏んで、どうしてもセルフ・アイロニーの方へ取るので、本来の意味が見失われやすい。古代ギリシャ語で「知らぬふりをするオトボケ者」を意味する言葉エイローンから、転用されたものなのだそうだ。知らぬふりをして、知ったかぶりをつまずかせ、おのれの無知を悟らしめる、おのれを嗤うに至らしめる、という教育上の便法の意味に転用の当初は使われたらしい。十八世紀の事という。もしもボードレールのこの詩のアイロニーに、当初の筋が通っているとすれば、そのアイロニーには対者、発信者が存在することになる。七人の老人たちではない。老人たちは、知るふりも知らぬふりもないのだ。

おぞましき不死鳥《フェニックス》よ、おのれの子にして父なる者よ、と老人を罵る。ここに三位一体への「冒瀆」を見る説があると聞く。となると、聖霊はどうなるのか。奇っ怪なる不条理の遍在を指すのか。それはともかく、これが三位一体への罵倒であるとすれば、私はこの詩の「出来事」をこう見る。

三位一体の教説は、私などにはいくら説明されても腑に落ちるということはないが、キリスト教の思惟にとっては、そのほとんど致命的と見える背理を衝かれても幾度でも蘇る、まさに不死鳥のようなものであるらしい。不死は、背教の立場へ追い込まれた者にとって、恐怖であるに違いない。これに対抗するには、おそらく最後には、それ自体同義反復の、冒瀆の叫びしかなくなる。おのれの子にしておのれの父、というのもそのひとつだろう。それに答えて、

——お前の言わんとすることは、すると、こういうことになるか。

と啓かれたのが、そして現われたのが、七人の老人であったのではないか。詩の展開からすれば前後が逆になるが、悪夢の現われ方の順には適っているように私には思われる。

わたしの夜々の底に神は巧妙なる指先でもってひとつの悪夢を、多岐に亘り際限もなく、描き出す、とほかのボードレールの詩にも嘆かれている。背教の闇に現前するのは虚無でもなければ空無でもなく悪夢、異様な活力を帯びた形象であるらしいのだ。

精神は la mystère により l'absurdité により破られ、とあるのは、この不思議な理不尽な出来事に破られとでも訳しておくのが穏当なところだが、mystère と l'absurdité の組合わせもまたわれわれの奥底のどこかの鍵を鮮やかに叩いて暗い和音を響かせる。しかし mystère はまだしも、この absurdité, absurd という言葉がまたわれわれにとって、英語からも馴染んでいるのに、われわれの言語の内からもこれと響き合わすものがたしかにあるのに、日本語へ活きのまま造ろうとすると厄介な言葉である。mystère——奥義、玄義、秘義との組合わせはきわどい。この組合わせにおいて、absurdité, absurd なる言葉の暗い音色はきわだつようだ。不条理と訳しては、理の立場に留まる。もちろん理の立場から発せられる言葉だが、この詩のこの組合わせの場合、理が、理にならぬものによって、打ち破られるところから呻き出される。

ラテン語の absurdus は本来、不協和を指すのだそうだ。もしも古代において音楽がただの享楽に留まらず、人心の、天地の、宇宙の、安寧を支えるものであったとしたら、不協和音は不快感だけでなく不安や恐怖をもたらしたはずだ。しかしまた、不思議なるものは多く不協和音とともに現われる。おそらくabsurdなものが加わった時に、聖なるものだろうと悪なるものだろうと、恐怖は溢れ出す。

現代のアメリカでは《Absurd!》が、「それは違う」というぐらいの意味に使われると聞くが、それは本当《まこと》か。

8　歓喜の歌

「第九」の公演は「忠臣蔵」と同様に年末の行事になっているようだが、本家の西洋のほうではどうなっているのか。我国では何時頃からそれが師走の恒列となったのか、私は知らない。しかし「第九」と聞けば、徳田秋聲の私小説の一場面を思い出す。あれもたしか年末のことだった。あるいはそうではなかったかもしれない。とにかく上野の音楽堂で宵から「第九」の公演があり、秋聲の息子さんが、中学生だったか、すでに予科に入っていたか、一人で聴きに行った。その会の果てる頃、秋聲夫妻はおおよその時間を見はからって本郷森川町の自宅から散歩がてら、息子の帰りを途中まで出迎えに行く。すると、たしか音楽学校の前まで来たところで、夜道のむこうから脇目も振らぬ速足で近づく息子の姿が見える。親たちは立ち停まって笑いかけたが、少年は厳粛のきわまった顔をうつむけたきり、通り過ぎてしまう。呼び止めるとようやく振り向いて、面映そうに笑った。うろ覚えなので、間違いもありそうだが、まさに「第九」の、光景である。大正年間のことのはずだ。

ドイツ語を知らない人でも、「第九」に親しんでいれば、フロイデ、シェーネル・ゲッテルフンケン、トホター・アオス・エリュージウム、ヴィア・ベトレーテン・フォイエルトルンケン、ヒムリッシェ、ダイン・ハイリッヒトゥム、ダイネ・ツァオベル・ビンデン・ヴィーデル……とこの辺までは歌えるだろう。

ある酒の席でだいぶ酔いのまわった男がいきなり歌い出した。何の歌だか、旋律《ふし》がまるで成っていないので、わからない。お経の棒読みみたいなものを、しかも棒術ではないが棒をエイヤアエイヤアと繰り出すように、熱烈に口から押し出して来る。しばらく聞いていてようやく、「歓喜の歌」と知れた、とそんなこともあった。

そのシラーの詩による「アン・ディー・フロイデ」のことだが、これを「歓喜の歌」と訳すのは、「第九」としてはまことにふさわしいのだが、原詩に則するとなると、すこしまずい。「歓喜に捧ぐ」あるいは「歓喜の女神に捧ぐ」とすべきだろう。というのも、冒頭を訳せば、「歓喜よ、美しき神々の火花よ、エリュージウムより来たる娘よ、われらは炎の如く酔って、天なる女神よ、そなたの聖域に踏み入る。そなたの霊妙なる力は……」

とあるように、歓喜を擬人化、擬神化して、それに呼びかけている。ギリシャ神話のカリテス、典雅の女神たちの一人、歓びの女神エウフロシューネーにあたるのかどうか。エリュージウムとは、地の西の果てにあり、レーテつまり忘却の河に囲まれているという至福の島である。

それに続いて、「第九」では「そなたの霊妙なる力は、時世《モード》が厳しく分断したものを、ふたたびひとつに結ぶ」とあるところは、原詩では「時世の剣が分断したものを」となり、これはたいした違いでもないが、つぎの二行、「第九」では「そなたの翼に覆われるかぎり、あらゆる人間は兄弟になる」となっているが、原詩では「乞食も王侯の兄弟となる」とある。さらにこれを受けてコーラスは、「第九」では前の詩のリフレインとなると記憶するが、原詩では「抱き合え、万人よ、この接吻を世界全体に分かて。兄弟たちよ、星々の天幕の彼方に、かならずや、父なる御方はましますー」となる。

第二連は「ひとりの友の、友となるという、大業を成し遂げた者、美しき女人の心を獲得した者、それらの者はこの歓喜に加われ。この地上でわずか一人の魂でもその魂をわたしのものと呼べる者もここに参ぜよ。しかしそのようなことを為し得なかった者は、泣きながらこの連帯の輪からひそかに去れ」とあり、コーラスは「この大いなる輪の内に留まる者は、共感《シンパシー》の女神に忠誠を誓え。女神は星々のもとへ、知られざる御方の玉座へ導くだろう」と受ける。
シラーの原詩はだいぶ違うのだ。一連八行と四行のコーラス、これが九連も繰り返される長大な詩である。さらに散文的にかいつまんで紹介すれば、
《万物は歓喜を自然の乳房から呑み、あらゆる善きもの、あらゆる悪しきものが歓喜の薔薇色の足跡を追い、歓喜はわれらに数々の接吻を、そして葡萄を、血において試された一人の友をあたえた。愉楽は虫けらにもあたえられた。そして智天使《ケルビム》は神の前に立つ》（第三連）
《歓喜とは永遠の自然の中の力強き発条であり、歓喜こそが万有の時計の歯車を動かし、諸々の花を肝芽から、諸々の日輪を天空から誘い出し、見者の術を以ってしては窺い知れぬ諸々の天球を、諸々の宇宙に回転させる》（第四連）
《真実という火の鏡の内から歓喜は探求者に微笑みかけ、徳という急峻の丘へ忍従者を導き、信仰という太陽の山の上には歓喜の旗の翻るのが望まれ、打ち破られた棺の裂け目からは、天使たちの円舞の中に立つ歓喜の女神の姿が仰がれる》（第五連）
《歓喜は杯に泡立ち、黄金に輝く葡萄の血から、残忍の輩は温順を呑み、豪胆の士たちは

諦念を呑む。兄弟たちよ、酒に満たされた称揚の高杯が巡る時、席より舞いあがれ、酒の滾《たぎ》りを天まで飛ばせ、この杯を天なる善き霊に献ぜよ》(第七連)

《暴君の鎖からは解放を、悪人にも寛容を、死の床には希望を、天の審判には慈悲を！ 死者たちも生きねばならぬ！ 兄弟たちよ、杯を傾け唱和せよ。あらゆる罪びとは赦され、そして地獄はもはや失せねばならぬ》(最終連)

九連のそれぞれにコーラスが答えて、内容もそれぞれだが、その結びは一様に、天上なる最高者を指し示し、最終連は、《朗らかな死出の時を！ 屍衣に包まれた甘美な眠りを！ 兄弟たちよ、死者たちの審《さば》き手の口からは穏やかな判決を！》とこれで全体を締め括っている。

あまりにも散文的にひらいてしまったので、「第九」の「歓喜」からいかにも遠ざかったようで、読んでいて興醒めもさせられるだろう。じつはこれらすべて原語では、「歓喜の歌」の曲に乗せて、歌えるはずなのだ。訳者としては、困った。この長い原詩がベートーヴェンの曲に合わせて、もしも実際に歌われるところを想像すると、おそろしいような気もする。

英語ならenthusiasmと目で読む分にはまだしも、インシュージィエズムと発音しにくい。独逸語のEnthusiasmusとしたところで、エントゥジィアスムスと、舌の回りにくいことに変わりはない。日本の向学の士たちの会話に上りにくい所以である。熱狂と訳して、歓喜と結びつかぬこともない。内実と外見が甚しく喰い違うことはしばしばだが。感激とすれば歓喜によほど近くなる。しかしそれでも足りない。本来は神的な、神聖な、宗教的な熱狂なのだそうだ。古代ギリシャ語のen theosに由来するという。神と共にある、あるいは、神の内にある、という意か。

恍惚、エク・スタシスには無論通じるはずだ。古代ギリシャ語のマニアーも類語になるのだろう。これも本来、神から下されるものらしい。これなくしては詩作は成り立たないとプラトンは言っているそうだ。霊感である。しかし英希辞書に、マニアーにはmadnessという訳語が見える。holy madnessか。シラーの「アン・ディー・フロイデ」も、エン・テオスであり、エク・スタシスであり、マニアーを抱き締めてもいる。霊的なものの降臨に答える賛歌であり、歓喜の女神、ひいては最高神への「捧げ」の祝祭歌でもある。それぞれのコーラスの結びに、父が、知られざる者の玉座が、ひとりの大いなる神が、はるかに指し示される。これが三位一体の神だとすれば、聖霊は、たしかにコーラスの酒杯は「善き霊」に向けられる。子は、「血において試された友」という言葉が見える。しかしあたかも聖霊の如く万物万象を動かす「歓喜」は、神々からの火花と呼ばれている。また杯を挙げるところは、葡萄酒のことを黄金に輝く血と呼んでいる。それもふくめてディオニュソスの祝祭を想わせる。最後の審判はあるが、すべての罪びとが赦され、地獄は存在しなくなることが、要請されている。明朗なる臨終の時が願われている。

とそんなことを訝っているが、この私はここで、何をしているのか。なぜ、シラーなのか。どうして「歓喜に捧ぐ」に、《歓喜の歌》にひっかかっているのだ。ヘルダーリンの晩年の詩に、苦心惨憺、喰いさがっている最中ではなかったか。

自分勝手の水入りの、やや茫然たる息切れの中から、ふっと「第九」のほうへ、シラーの詩へ気を逸らされたのだ。七十三歳の長寿を享けたヘルダーリンの、三十過ぎの頃を、晩年と呼ぶのは穏当でない。精神が《正常》に戻らなくなった三十六歳以降も、解読はほとんど不可能だが、詩は詩であるというものを書き続けていたそうだから、意味解体の境に入る間際の詩と呼ぶべきだろう。言葉の文法的な連関がすでにゆるんだとまでは言わないが、詩の音韻の力がとかく意味の「順」を揺するので、私のような門外漢には、読解は苦労である。しかし苦しい事情はそれとは別のところにある。私にとって難儀なのはむしろ、歓喜の充溢である。しかも聖霊の、あるいは神々の、降臨を受けて、諸人がひとつの会話になり、ひとつの歌となる、というような歓喜なのだ。

つぶさに読めば、それはまだ歓喜そのものではない。歓喜はまだ到来していない。あくまでも予感、しかし近い成就の予感である。その下地である荒涼は察せられる。その前に嵐が吹きすさぶ。いや、嵐はすでに果てたと感じられている。そして青天の霹靂になるか、やがて雷が降《くだ》り、地に深く入る。そして絶対に近い沈黙が地を占め、ひとつの言葉が生まれ、それが歓喜の、祝祭の始めとなるようなのだ。しかし歓喜は未然の予感であればあるほど充溢し、繰り返し切迫しかかる。これが私にとって、正直なところ、苦手なのだ。言葉が異様に高揚しかかると、読者として、音痴になる。

しかし歓喜を苦にするようでは、何の甲斐あってか、文学というものに従事する。そう我身を顧るにつけても、茫然として詩を眺めたきりになる。たとえばここに「ゲルマニア」と題する賛歌がある。一八〇一年、詩人の三十一歳、心身に危機の兆候の現れたと見受けられるその前年の作になる。例によって棒訳にしてみる。

——あの至福の神々を、縁《ゆかり》の地に影像として現われた往古の神々を、わたしはもはや呼んではならない。しかし、故郷《ふるさと》の水よ、そなたたちと共に今この時、心が恋情の嘆きを挙げるのは、聖なる哀しみに打ち顫えるこの心は一体、ほかの何を求めるのだろうか。期待に満ちて国土はひろがり、ひとつの天が今日、灼熱の日々のごとく、地に降りかかり、予兆をはらんで、恋い焦《こが》れる山河よ、われらを白靄に包む。天は約束に満ち、いまにも襲いかかるかとわたしを脅かしもするが、わたしはそのもとに留まっていよう。わたしの魂はこれに背を向けてそなたたちのもとへ、過ぎ去った神々よ、あまりに愛《いとお》しいからと言って、奔ってはならない。そなたたちの美しき面《おも》を、時が変わらぬかのように、見つめることは、わたしはおそれる、死に至ることではないのか。滅びた神々を呼び起すことは、ほとんど許されぬことではないのか。

神々を呼び求めることへの断念とはひとまず取れる。その点ではリルケの「ドゥイノの悲歌」の冒頭の、天使たちに訴えることへの戒めに、はるかに通じて行くものか。しかしここでは、求めることへの断念がそれ自体すでに、新らたに近づきつつある神々の降臨への予感、歓喜の予感であるのだ。

賛歌の冒頭に過ぎない。ここから先へ、私はさしあたり進めない。

——三度言い換えても、それはひきつづき、言われぬままに留まる。

詩の先のほうに、そうある。言葉をめぐらすよりも、いっそまっすぐに、母の名を唱えよ、という意らしい。

9　生きながらの

聖堂を出て表の大気の中で安堵と、そして心身の衰弱を俄に覚えさせられるのは、ヨーロッパを訪れる「見学者」たちのしばしば体験するところだろう。磔刑像のなまなましさは、異教徒あるいは無信仰の徒にとっては、感覚に余る。殉教者たちの像からも流血のにおいが吹き寄せる。地下聖堂《クリプタ》もその内にある限りは一種の恍惚感もあり、離れがたいほどのものだが、そうしている間にも身体がじわじわと憔悴していくように感じられる。早々に退散したいような、もうすこし留まっていたいような、煮え切らぬ足取りになる。

しかしこの衰弱感をよく感じ分けてみると、血液の、体液の、むしろ濃く煮詰まった体感へ通じるようだ。何かの危機に触れて、肉体がより肉体と感じられる、あるいはより肉体になる、それに近い。ただし、朽ちるべきもの、朽ちつつあるものと意識されている。

地下聖堂のようなところには外界とは異なる細菌の系が保存されていて、その中にしばらく留まった人間は、たまさか異国から来たのならなおさらのこと、それに感染されて、自身の細菌の系の惑乱に苦しむという、「感冒」のひとつではないか、とそんなことをつい考えたこともある。

近頃、キリスト教の三大巡礼地であるイエルサレムとローマとサンティアゴ・デ・コンポステラの歴史を解説した本を読む機会があり、どれぐらい読みこなせたものやら覚束ないが、こんな知識を得た。古代末から中世にかけての初期の教会建立には、まず初めに聖遺物《レリック》の収納があったという。聖遺物を地下室に納め、その直上に祭壇を設ける。聖遺物のないところでは、聖体拝領のミサは執り行われなかった、と。

キリスト教の弾圧時代には信徒たちは地下墓所《カタコンベ》に集まって礼拝を行なったが、布教の容認された後も、しばらくそれが続いた。やがてカタコンベのほとりに礼拝堂が建つようになったが、その祭壇はカタコンベからの石でもって築かれた。さらにカタコンベから殉教の聖者——殊にペテロとパウロ——の聖遺物が納められ、その安置所を中心としてローマの主要な教会、バジリカが建立された。さらに、聖遺物に触れてその霊力を移した布を諸方へ頒かって、多くの教会が建てられた。時代が進んで、アルプスの彼方にも教会や修道院がひろがり、聖遺物への需要が高まるにつれ、カタコンベから「遺骨」がひそかに発掘され、送られるということもあったらしい。

さてこそあの「感冒」か、と得心しかけたのはだいぶ粗忽な話になるが、聖遺物の安置が聖堂の中心をなすというひとつの考え方の筋は後世まで存続、内在したに違いない。となると、あれらの荘厳、天井も円蓋も柱廊も、内陣も尖塔も鐘も、すべて地下の聖遺物に仕えることになる。あるいは聖遺物の霊力が現前させたものと考えれば、一段と凄い。霊的なものではあるが、同時によほど肉体的である。ことによると肉体性の極限から霊性は発するものか、などとたどたどしい感慨にひたるうちに、ライナー・マリア・リルケの或る詩を思い出した。

「主よ、あなたはあの聖者たちのことを知ってますか」と呼びかけで始まる。さる修道院の僧たちが、三百年も昔のこと、僧房の内すら俗界の喧騒に近すぎると嫌って地下の堂に閉じこもる。そこでそれぞれ燭台を手に狭い地下の空気を呼吸しながら、年も忘れおのれの顔も忘れ、窓のない家のように暮して、まるでとうに死んだかのように、もはや死も知らなくなる。

ロシアのどこぞの聖地の僧院のことらしい。『時禱詩集』の第二書、「巡礼の書」（一九〇一年刊）の内に見える。リルケは一九〇〇年の初夏から盛夏にかけて、これが二回目のロシア旅行になるそうだが、モスクワからキエフへ、さらにドニエプルを下り、ボルガを上り、中央ロシアをひろく巡り、深い感銘を受けてきたという。聖年にあたり巡礼者たちの姿にも目を惹かれたようだ。

――僧たちはまれにしか書を読まなくなりました。すべての書物が地下の冷気に侵されたように干涸び、骨と皮ばかりになった僧たちの身体から僧衣が垂れ下がるように、意味というものがあらゆる言葉から剝離してしまったのです。僧たちは真っ暗な廊で互いにすれ違うのを感じても、もはや話しかけようともしません。髪も伸び放題に垂れ、そして隣にいる仲間が、あるいは立ちながらに息を引き取りつつあるのか、それすら知りません。円堂があり、銀の燭台が香油に炎を養われ、その灯のもとに一同はときおり集まり、黄金の扉に向かって、黄金の庭を透かし視るように、信じがたい面持で夢の内を眺め、長い口髭を動かして、低いさざめきを洩らします。

この円堂とは地下聖堂の中心をなす所なのだろう。そして黄金の扉とは聖所の、さらに至聖所を隔てる扉ではないかと思われる。その内に、東方教会においても、聖遺物が安置されているのだろうか。その扉の内を観想する僧たちの、信じられぬ面持とは、何を指すのか。直訳すれば、疑惑に満ちて、となるが、それでは否定の念が強く出すぎるとおそれて、和げて訳した。観想するだにあまりの至福に、と取れば、ひとまず穏当にはなりそうだ。たとえば長い艱難の旅の末に聖地の望める山頂にたどりついて感涙に咽んだという巡礼者たちにも、これを疑うような表情は見えただろう。

しかしまた、疑念は疑念とまともに取るべきなのかもしれない。詩人の心象には、おそらく余命のすくなくなった僧たちの心に兆す、疑惑の相が端的に見えていた、とも考えられる。至聖所の内もまた空無ではないか、という疑惑である。それがしかし取りもなおさず、神の臨在の兆しであり、至聖所の内も空無となる時、神は初めて現われる、ということではないのか。

今では僧たちは、街から草原からこの僧院を訪ねる幾千もの巡礼者たちの拝観に供されている。三百年来僧たちは横たわり、その肉体は朽ちることもならない。闇が光の煤のように、布にくるまれてひそかに保存された形骸の上に積もり、解かれることもなくなった両手の祈りが胸の上に山地のようにそびえている。

生者たちの手によって「聖遺物」とされたわけだ。我国でも聞くところである。しかし地下でいくらかの歳月を重ねた生前からすでに、とうに死んだ者のように、死ぬということをもはや知らぬ存在であったとすれば、生と死との定かならぬ境に在った者だとすれば、生きながらに「聖遺物」となった、生きながらに「聖遺物」であった、と言えないでもない。地下の闇よりも心身が暗くなり、ただ常夜灯にほのかに照らされる黄金の門を訝り眺める眼ばかりになり、やがて扉の内と眼の内とがひとしい無、聖なる無となってひとつにつながる。聖遺物とは息絶えた聖者の、口髭のさざめきの途絶えた跡にひろがる、千年の沈黙の謂なのかもしれない。神の存在をおのずと要請する沈黙である。

詩人はさらに神に呼びかける。

――崇高なるものを統べる古き偉大な王侯たる神よ、あなたはこれらの僧たちのもとへ死を遣わしてその肉体を朽たしつくすことを、僧たちが深く地下へ潜ってしまったので、忘れたのでしょうか。生前より死者におのれをなずらえる者たちは、不朽にもっとも近いのでしょうか。それは、時の死よりもながらえると言われる、あなたの遺体の大いなる生命に、ひとしいのでしょうか。

彼らはなおあなたの計画に適う者たちなのでしょうか。あなたは不朽の器を保存して、あらゆる尺度に掛からぬ神よ、これらの器をいつかあなたの血でもって満たす意志《こころ》なのでしょうか。

問いかけに終る詩である。答えはやはり沈黙だと想われる。詩の冒頭からして、あなたはあの聖者たちを知ってますか、と呼びかけて、地下の聖堂に三百年も、もはや死なずにいた死者たちについて、神はその存在すら知らぬかに聞える。

「巡礼の書」の末尾に置かれた詩では、詩人は神を、甲斐もない財宝のように、地に埋める。おそらく、神への観想から集めたさまざまな形象のことだと思われる。それを過剰とする。その過剰をすべてそれ自体貧困とする。なおも一向に現われようともしない神の善美の、代用とする。

神を埋めて、神に至る道を想う。おそろしいほどに遠い道であり、しかもひさしく誰一人としてたどらずにいるので、その跡も風に吹き消されている。そしてその道を行く自身の姿よりも先に、遠く離れた谷々へ杖を引く神の、その心を想い、あなたこそ孤独なのだ、あなたは孤独そのものなのだ、と訴えかける。そして自身は神を埋めて血に塗れた両の手を、指をひろげて風の中へ差し伸べると、手は樹木のように枝を分ける。

わたしはあなたを、この手でもって宇宙から吸い取ります、と縋る。あたかもあなたが、もどかしい身振りとともにひとたび宇宙へ裂けて散った後、粉砕された世界として、いまや遠い星々から、ふたたび地上へ穏やかに、春の雨のごとく降る、かのように、と。

10　無限船と破船

ステファン・マラルメとヴァスコ・ダ・ガマとは、奇妙な取合わせに思われる。あるいはそうでもないのかもしれない。

とにかく縁のあったことなのだろう。ヴァスコ・ダ・ガマの喜望峰回航四百周年に、マラルメは詩を寄せている。ヴァスコ・ダ・ガマが喜望峰を回りこみ、インド洋を斜めに横切って、カルカッタに到った、いわゆるインド航路開拓は一四九八年、その四百年後は一八九八年、つい去年のこと、いや、もうひとつ前の世紀末になる。マラルメの没年にもあたる。マラルメ最後の詩になるのだそうだ。

これがまた、難解さは毎度のことながら、不思議な詩であるのだ。詩の中でヴァスコ・ダ・ガマの船はとうに喜望峰を越えて、これは史実なので言うまでもないことだが、到達したインドも後にして、さらに無限の海原を今もなお、ということはマラルメの現代である世紀末にもなお、突き進んでいくようなのだ。喜望峰と一緒に越えられてしまったインドとは、栄光と惑乱の、ひとつのインドとあるので、おそらくインド航路開拓以降の、宗教改革と宗教戦争、絶対主義と植民地支配、産業革命と市民革命、国家および資本および科学技術の巨大化などを経て、マラルメの世紀末に至る、長大な「開拓」のエポックが想われている、とまずはそう取るのが穏当のところだろう。

と言えば幽霊船めく。しかし船の針路は揺ぎもなく船長の意志も不屈のようだ。時代に越されれば幽霊船だが、越されるのは時代のほうらしい。四百周年を記念する現代は、回りこまれる岬に喩えられる。つねに回りこまれる「喜望峰」である。そしてその現代から船長へメッセージを送ろうとする詩人自身は、船の帆桁に止まる鳥に喩えられる。鳥は低い帆桁が船とともに水を切るそのたびにひらりと身をかわして、海面の餌を掠め取るように、新しい情報をくわえこんでは、一本調子の声で無用な方位やら、やれ「夜の闇」だの、「絶望」だの、「宝玉」だの、しきりに告げ知らせるが、それで方舵が切られるわけではなく、注進は歌に運ばれてヴァスコ船長の蒼白な顔に、かすかな笑みとなって映るばかりだという。

凄惨な笑みと見える。しかし探検の航海であるからには、幻想はもはやなくても希望は希望の、欲望は欲望の、もはや自動的《オートマチック》なものに化しても意志は意志の、冷徹に凝固した顔なのだろう。大航海時代の冒険精神と一口に言うが、陸伝いでもなく島伝いでもなく、天体の観測を頼りの大洋横断は、どれだけ抽象的な認識に堪えた行為であったことか。方位とは、北北東何度に陸影ありというようなことだとしたら、そんな影も見えぬ大海へいったん乗り出した後は、それ自体が無意味なことだ。

幽霊船ならぬ、近代精神の「無限船」である。その無限航海により、あらゆる現代という岬は回りこまれる。ヴァスコ船長は現代の鳥たちの、空しい情報の歌に蒼白く微笑みながら、船をさらに進める。われわれの現代においてはすでに宇宙へ、宇宙の外へ、また生命体の内部の、遺伝子のそのまた内部にまで。破船は何辺の海域にあるのか。

「夜、絶望、そして宝玉」――《Nuit, désespoir et pierrerie》と鳥は歌う。詩のニュアンスからすると、もはや「莫迦のひとつ覚え」とでも言うような徒労感が聞こえないでもない。Nuit と désespoir には破船の予感がある。あるいはみずから破船を呼んでいる。pierrerie は、大航海の当初の心に訴えるとするなら、アジアの財宝への夢になるだろうが、夜や絶望と三者一組に並べられているところでは、破船の空に輝く、末期の華なのだろう。いずれにせよ、蒼白のヴァスコ船長の顔には、わずかに遠い記憶のような、笑みしか呼び覚まさない。無限船には破船の思いも、宝玉を鏤めた夢想も、ないと思われる。

しかし先に叫ばれた、孤独、暗礁、星辰――《solitude, récif, étoile》なる出航の乾杯の音頭は、ヴァスコ船長へ呼びかける《Nuit, désespoir et pierrerie》とどう響き交すのか。

――いいえ、まだ何物でもありません。このシャンペンではないが、泡みたいなもの、あるいはすでに逆巻く海の泡でもありますか。とにかく無色透明なるこの詩は、このグラスに喩えるなら、中身はさておき、輪郭つまり形ばかりを定めたものであります。空の器は空の器でもしかし、遠くの海でセイレーネーの群れがこれを耳にしたなら、術を破られ、多くはのけざまに海中に沈む、とそれほどのものかと自負しております。

さて出帆だ。多士済々の友よ。私は船尾に立った、諸兄は雷の轟く冬の荒海を押し分ける華麗な船首に就かれよ。すでに美酒に酔った心で、縦揺れにも怖じず、別れの挨拶をまっすぐに唱える。「孤独、暗礁、星辰」と。世に通るまいと知ったことか。われらが帆の、白い憂慮をここに掲げる。

なにしろ凝縮の極みの、よほど切り詰まった詩なので、私の言葉では訳しようもなく、表題は「挨拶 Salut」だが乾杯の詩でもあるようなので、それに甘えて、僭越ながら、乾杯のスピーチに書き下させてもらった。格調はだいぶさがった。原詩にあるはずもない説明の言葉も多々、侵入させた。

「さらば、孤独と暗礁と星辰のもとへ、われらは赴かん」の意になると思われる。出帆の唄、一群の詩の試みの、詩の遠征の、エピローグにあたる。

金羊毛のことは敢えて語らぬが、アルゴ遠征隊の心である。船上にオルペウスあり、乗組員を誘うセイレーネーたちの歌を、より強き歌でもって打ち破り、難所を無事に通過させるはずである。

ボードレールの出帆の唄も聞こえる。脳の髄まで焼き焦さんとする猛火に苦しみ、いっそ水底に沈むことを願う。天国か地獄か、知ったことか、と叫ぶ。舵を執るのは老船長Mortらしい。それにひきかえマラルメの出帆の唄では、《孤独、暗礁、星辰》の合言葉とともに、《世に通るまいと知ったことか》と思い切って、おそらく先人に唄われたのに劣らぬ暗澹の海に、風を孕んで揚がるのは、《白い憂慮》である。暗い沖から目に染みるようなこの《blanc souci》にはしかし、難船の破局はかならずしも、約束されてはいないのではないか。

まして《夜、絶望、宝玉》と歌うのは、とうに回りこまれた岬から飛来して無限船の帆桁にしばしの泊まりを借る、鳥の分際である。死神に命をまかせた乗組員でもなければ、破船を招く負のオルペウスでもない。

《孤独、暗礁》と《死、絶望》とは響き交す。後者のほうが一段と差し迫った、航海も大詰めに入った、とも取れる。しかしそれぞれ結びの《星辰》と《宝玉》とは、《étoile》と《pierrerie》とは、すでにお互いによほど隔たったものなのだろう。

大海の《孤独》の夜に、《暗礁》を思いながら、満天の星を仰ぐばかりが、《星辰》ではない。船はすでに座礁に瀕し、嵐はなお止まず、大波が刻々と船を死地へ押しやっていくその間に、夜の空は晴れ渡り、天体の運行の音楽が冴えて響く、というのも《星辰》の内のはずだ。それにひきかえ《宝玉》とは、この場合、宝石細工のことである。破船からも除外された鳥の、宙に掛ける不妊の美である。無限船の船長の、初心の欲望すらそそらぬらしい。

しかしその鳥が、荒天の一夜を帆桁の宿りにしのいだ後のことになるか、無事に暗礁を掠めて遠ざかる船を飛び立って、暗澹ながら白々明けの頃か、眼下に凄惨な光景を目撃する。

——玄武岩と溶岩の岩礁に低くのしかかる暗天にも知られず、波のうねりを能もなくひたすら鈍いホルンの音に反復させる潮騒にすら知られず、いかなる難船の墓場がここに隠されていることか。海泡よ、そなたはそれを知りながら、ただ喘ぎ続ける。漂流物の中の華、帆を剝ぎ取られ根元より断たれたマストが波間にのぞくか。それとも事実は、徒らに顎《あぎと》を開くばかりに終った深淵が、近頃壮烈なる破船のひとつとして起らぬことに業を煮やして、ひとすじ流れる白い、あのように白い髪の中へ、ひとりのセイレーンの、稚い肌を、吝《おし》んで呑みこんでしまったのか。

見えているのはどうやら、うねりとうねり返しの出会うあたりにひとすじ長く尾を引く、白い海泡の帯ばかりらしい。

無限船の破船は奈辺にあるのか。

11　折角の犀

丑の年と言えば、あれから寅、卯、辰と、もう四年目も過ぎかけている。その丑の一九九七年の新春の文芸誌に、私は短い随筆を寄せて、「牛の春」と題したところが、雑誌が出来あがってきたのを見れば、見事、「午の春」と誤植されていた。その五年前の午の年に、たしか同じ雑誌の同じ随筆欄に、白馬のことを書いて、「午の春」と題した、そのせいか。大書された表題までは、著者校はかえって目が届かないものだ。たまたま読んだ人も、丑の春ではあるが、馬の好きな男のことだから、干支の見当をちょっとはずしたのだろう、とそれぐらいに取ったかもしれない。その牛を午と取り違えられた随筆の冒頭に、夏目漱石の最晩年の漢詩から、

――誤跨牛背馬鳴去

吉川幸次郎氏の読み下しによれば、「誤って牛背に跨れば馬鳴いて去り」とある箇所を引いたのは、後から見れば皮肉な符合であった。あるいは表題の馬は私の誤記から走り出したものかもしれない。

馬と取っ違えて牛の背に跨ったら、ほんとうに馬となって、嘶いて走り去った、と私は読む。乗った者は大慌てである。

漱石の諧謔の眼がぎらりと睨みはしないか。大正五年十月十六日、亡くなる一月と二十日あまり前の、無題の七言律詩の三連目である。これに続いてこれと対となるのが、

――復得龍牙狗走還

吉川氏によれば、「復《ま》た龍牙を得て狗《いぬ》は走り還る」

牛が馬となって走り去ったかと思えば、狗がまた龍の牙を生やして走り戻ってくる、と私は読む。犬も歩けば棒にあたる、の習いが幸いして、どこぞで銜えこんで来たのだろう。大わらわに駆けて来るのが目に浮かぶ。後がうるさい。

周易がおのずと踏まえられているのだろう。馬は陽の最たる「乾《けん》」の、牛は陰の最たる「坤《こん》」の、それぞれ象のひとつである。人が乾坤を取っ違えると、乾坤もおのれを取っ違えるとは、でっかい錯誤である。豪気と言えるほどのものだ。しかしせっかく間違えて、おのれに所詮相応な陰のほうに乗ったのに、その陰が俄に陽のつもりになって駆け出すとは、粗忽と粗忽が重なったようで、見ている分には笑えるが、乗った者にとっては、悲惨な話ではないか。

龍はきわめて陽のものであり、潜《ひそ》みもするが、高く騰《あが》るものである。狗は「艮《ごん》」の象のひとつで、「艮」はどちらかと言えば形勢不利、止まれ留まれ慎しめ、の戒めをふくむはずだ。その「艮」の犬が、分は守っていたのだろうが、たまたま龍の牙を拾ったばかりに、天にまで昇ろうと張り切っている。危ない間違いである。

馬となって走り去る牛、龍の牙を得て走り還る狗、と漢詩の型を踏んで対比として読んだわけだが、これを連続として、ひとつの「説話」としてたどることも——漱石は小説家なので――あるいは可能か。馬となって疾駆する牛の首につかまる男は当然、まもなく振り落とされ、「落馬」の憂き目を見る。そして傷心、負け犬となってうろついていたところが、偶然龍の牙を掘り出して、今風に言えば、また舞い上がってしまう、と。世事の景気はすべて間違いの、間違いから間違いへの、循環にほかならない、と詩の眼が睨んでいる。

――入泥駿馬地中去　折角霊犀天外還

また去と還、去ると還るになるが、これは大正五年十月二十日、先の詩から四日後の詩の三連目になる。

吉川氏の読み下しは、「泥に入る駿馬　地中に去り　角を折りし霊犀　天外より還る」

入泥とはひとまず、泥に塗れるという意になるが、この場合、そんなに不景気な、悲観的なことでもなさそうだ。入泥と、そして地中去は周易の「震《しん》」を想わせる。二つの陰の下に一つの陽が潜りこんだ卦である。「震」は雷であり、二陰一陽は雷が地中に入ったかたちである。「震」はさらに龍であり、長子であり、其ノ馬ニ於ケルヤ善鳴ト為スとある。駿馬である。「震」の九四に、「震遂泥」と見える。震ツヒニ泥スと読んで、泥スとは滞溺のことなのだそうだ。今は地中に潜んでいるがやがては光り出る、という意なのだろう。こう書いて来ると、なにやら、街頭の易者先生になったような気がする。立て板に水というわけにはいかないが。

二陰一陽をふたつ重ねたのが「震」ならば、五陰一陽、五つの陰の下にひとつの陽が入るのが一陽来復、「復」である。ここにも「雷在地中」とある。「不遠復」ともある。遠からず復《かえ》る。犀は還って来る。犀は才に通じる。しかも霊犀である。ただし、角をへし折られて来た。

どこで折られた。やはり、天外でだろう。とにかく、常識や分別を超えた天外の境まで、ひとたびは至った。それにしても、犀利の角を折られた霊犀とは、どんな姿をしているものなのだろう。

——吾輩は時々忍び足に彼の書斎を覗いて見るが、彼はよく昼寝をしている事がある。時々読みかけてある本の上に涎をたらしている。

これか。霊犀も涎をたらすだろう。タカジヤスターゼも飲むだろう。いや、これはまだ入泥の駿馬である。「今に見ておれ」の姿のひとつである。

午前にはあまり気の乗らぬ様子で「明暗」を書き続け、午後からはむしろ熱心に漢詩を案じ、生涯は日々に詰まる。唐突として思った。則天去私とは、還って来た折角の犀の事柄ではないかと。これも諧謔のないことではなかろう。

小説を読めばこれは本来随想家の質ではないかと疑い、随想を読めばこれぞ小説家だと唸らされる。これが漱石らしい。私などはどうかすると、小説や随想を読んでいても、これは詩の人ではないかと思うことさえあるのだが、その俳句にしても例えば、

――秋の江に打ち込む杭の響かな

この際立った句にも小説的な屈曲が含まれる、とまで言うつもりはないけれど、はたして杭の響きによって句は詩として解放されているか、救われているか、と感じ分けようとすれば、打ち込まれる杭の痛みのほうが残った、という後味が濃い。その苦が、生きてある限り得られそうにもない寛解をそれでも求めて、さらに仔細な描出を呼ぶように、感じられるのだ。

――空中耳語啾啾鬼　夢散蓮華拝我回

吉川氏の読み下しに、「空中に耳語《じご》す啾啾《しゅうしゅう》の鬼　夢に蓮華を散じ我れを拝して回《かえ》る」大正五年十月十一日の七言律詩の結びである。耳語とは耳打ちささやくこと。啾啾は啜り泣く声。鬼は死者、それも大勢、と私は取る。蓮華を散ずとは、しかし、仏あるいは仏性への供養ではないか。さらに、我を拝して回るとは、何事だろう。

空中に死者たちの霊の咽びささやきあう声が聞えたかと思うと、やがて夢の内に蓮華を散じこの自分を拝礼する。「非耶非佛又非儒」（十月六日）の我を。

詩才の露見《あらわれ》のほかは寒貧の我を、死者たちが啜り泣きながら来たって、仏として供養するのか。我があまりにも寒いので、拝するのか。拝されて、あらためておのれの寒さを笑うのか。

——私は黙って座敷へ帰って、其処に敷いてある布団の上に横になった。病後の私は季節に不相当な黒八丈の襟のかかった銘仙のどてらを着ていた。私はそれを脱ぐのが面倒だから、そのまま仰向に寝て、手を胸の上で組み合せたなり黙って天井を見詰めていた。

「硝子戸の中」のほうへ、私の連想は飛ぶ。秋の星の宵に雨戸をまだ開け放った縁側から、庭の生垣の下にうずくまる老犬を呼んだところが、犬は主人を忘れたかのごとく振り向きもしなかった、とあるのに続く箇所である。大正四年の作になる。

病みあがりの、まだ敷き放しの蒲団なのだろう。褞袍を着たまま仰向けに寝て胸の上で手を組み合わせて天井を見つめる。その眼は天井からさらに何を見ているのだろう。おそらく時間、それしかないのではないか。そして或る境から、死に至る時間が寒々として見えたその時、ここでも空中に啜り泣く声が満ちて、死者たちが華を携えて近づくのかもしれない。

死期を悟った人間の、その無念無想を、死者たちが順々に拝する、というのも不思議はない事だ。しかし拝される我を、我がまだ見ている。拝されるままに、すでに我意を捨てて、しかし見ている。そこに一抹の諧謔、諧謔の極致が、我を離れて点る。我を去りながら、いま一度、いよいよ我である。則天去私とはそういうことではないか。そのように寒いエク・スタシスもありはしないか。

12 風立ちぬ

関東の雑木林の、とりわけ冬枯れの、風景というよりは、風が私などには身に染みついているようだ。もともと雑木林に馴染んだ育ちでもないので、おそらく一九六〇年代の経済成長期に所帯を持つ身になり新沿線郊外の遠くにようやく居を定めた当初の、雑木林の風も吹き渡る、寒い解放感がその後何十年も、環境がさらに変わっても、底に鳴り続いているのだろう。

現在の住居の近間にも雑木林がある。これは保全された林であり、囲い込まれてから六十年にはなる。雑木林の楢や櫟は本来、適時に間伐され薪炭の用に供される。つまり順々に燃やされるべきもので、斧が入らなくなると、ひょろりと長く伸びる。それが冬枯れの時節にはあきらかに自然の限界を超えて育ってしまった姿を露呈させ、風に吹きつけられると、それぞれ幹の中程からゆさりゆさりと揺れる。無論一斉にだが、よく見れば一樹ごとに振れ方が違って、わずかずつ時差もあるようだ。さらに眺めれば、ちりちりと炸裂したふうな、癇症らしい枝の張り方にもおのずと周辺にたいする、配慮がありげに見える。ああして、枝や幹が擦れて火を発するのを、防いでいるのか、と感心させられる。しかしまた、じつは炎上を求めながら、互いに間合いがはずれ、忿懣と忿懣とがすれ違って、悶えているのではないか、と眺めやる日が、ないでもない。

樹木は真直ぐに伸びているようでも幹がわずかずつ幾重にも屈曲しているものだが、楢や櫟ではその屈曲はまず根元に近いところに出るようだ。おそらくまだ柔軟な若木のうちではなくて、ようやく喬木らしくなりかかる頃に、すでに重い図体となった幹がくりかえし枝から風の力を受けて撓い、そのひずみが根元近くに溜まるのだろう。それぞれ異った変形を蒙りながら、風の来る方向へひとしく苦渋の面相を根元から剝いている、と見てわずかに行くうちに、そのあたりではどれも、さっきとは違った方向へ、顔をしかめている。

わずかな偶然の差なのに、置かれた場所の苦を唯一無二の、永遠の相のように露わしている。これを眺めるのは、その日の気分によっては、なかなか憂鬱なものである。入院中に長年の身体の「瘤」を感じさせられ、そこから振り返って、ほかの病人たちの身体をつくづく見渡す時の気分にも似ている。

——今の男、あんな顔をして、近いうちにも首でもくくりはしないか。何なら枝を貸してやってもいいけれど。


ダンテの語るところの地獄の第七圏第二環の森では、枝々は節榑《ふしくれ》立って曲がりくねり、葉は緑というよりは黒く、果実のならぬかわり毒々しい刺を生やしている、とあるので雑木林とはよほど違う。灌木に近いようで、それが藪のように鬱蒼と密集しているらしい。女性の人面を持つ醜怪鳥ハルピュイアたちが棲息して樹々を啄んでは苦しめるとあるのは、繁殖期に通行人の頭を襲う烏などとは同列に置けない。しかし至る所から、人の姿は見えず、溜息が風と吹く。枝を折り取れば傷口が叫んで乱暴を咎める。血とともに言葉が流れ出す。ここに根を生やした運命をたずねれば、太い息を吐いて、やがて風が声に変わる。

われとわが手にかけて、肉体からおのれを引き離した荒ぶる魂は、地獄のこの第七の谷に投げ込まれて、森の中の、偶々落ちた所に根を生やし、やがて芽を出し、やがて樹と成る。するとハルピュイアたちが葉を貪って、苦痛に「窓」を開ける。

人が樹となる。樹を傷つけると血が流れる。とあれば私などはどうしても、人が肉体を備えたまま樹の内に閉じ込められたものと取る。ところが、これは魂と肉体の分離ということがなかなか頭に入らぬ者の考えることで、樹木の明かすところはそれと、同じことのようで違う。まず、死者は誰でも自分の亡骸《なきがら》を求めて旅をするという。最後の審判の日にこれをまとって土の中から立ち上がるためである。しかしこの第七の谷の、この森に落ちた死者たちは、われとわが手で引き剝がした肉体を、まとうことは許されない。人から剝ぎ取った衣を我が身に着けることは許されないのと同じに。暴虐、略奪の一種と見るようだ。そのかわりに、肉体を衣のように引きずってこの森に至る。そしてその衣を刺の上に、魂の呵責の上に掛ける。これと、谷へ投げ込まれ、森に落ち、根を生やして樹と成るという話を、どう整合させたものか。あるいは比喩は多様に枝を伸ばすものであって、一々の整合は無用なのかもしれない。とにかく、肉体を嘖むものは魂の刺であり、しかも魂は肉体の苦痛をおのれの苦痛として感じているということだ。

しかし可笑しいのは、と言えば不謹慎になるが、どこかで苦い笑いをそそられてそれが我が身に返って来そうになるのは、この森の樹木たちがこのように、不断に、われとわが身を嘖みながら、人にすこしでも傷をつけられると、たちまち叫び、咎め嘆き恨み、いまさら血を烈しく流すことである。

話を聞いて地獄巡りの同行二人が暗然としているところへ、いきなり狩りのような騒ぎが寄せ、傷だらけの裸の男が二人死物狂いで駆けて来て、繁みを押し分けて追手から逃れようとし、ために、あたりの樹々は葉を振い落とされ、逃げ足の遅れた一人が一本の樹にすがりついて身を隠そうとしたが、すでに背後に迫った黒い牝犬の群れが——復讐の女神エリーニュースか——飛びかかり、五体を喰いちぎって運び去る。

後世の読者こそ、たちまち来たってたちまち去ったこの騒ぎを、場違いの登場のように唖然として見送るが、作品の当代では周知のことだったようで、注によれば、戦死は戦死でも、まだ身を全うして引く余地もあったらしいのに、それまでの生活万端の浪費のお陰ですでに「破綻」に瀕していたようで、破れかぶれに戦って死んだ者だという。なるほど、そういう自殺もある。しかし地獄では放蕩者の部類に入れられると見えて、この森に樹と成って根を生やしてはいない。徒労にしても、馳けている。

それはそれとして、騒ぎの過ぎた後、いましがた抱きつかれた樹が嘆き出す。掻き傷から血が流れている。私を楯にして何になる、お前の罪を私が背負いこめとでも言うのか、と恨む。そばに寄って来た地獄巡りの二人に、あさましい目に遭って葉をすっかり落とされてしまったと訴え、立ち去る前に私の葉を根元に集めて行ってほしいと、どういう慰めになるのか、二人に頼んでから、生前の素性を話す。フィレンツェの人のようで、あの都市がその守護神を軍神マルスから洗礼者ヨハネへ変えたばかりに、戦に苦しめられるようになったと悔やむ。折角先祖が都市の守りに橋に建てたマルスの像は、今でも無事だろうか、と心配する。最後に、私は自分の家を自分の絞首台にしてしまった、と打ち明ける。戦に暴力に追い詰められて、あるいはこの物の言い方からするとどうも、追い詰められるより先に死へ逃れた人間なのだろう。死んだ後にも死から死物狂いに逃げる放蕩者と、地獄の樹木と化してもその放蕩者の乱行の傍杖を喰らって血を流し嘆きつのる自害者と、絶妙な対比ではないか。

ポール・ヴァレリーに「プラタナスに寄せる」と題する詩があり、これも《森の歌》に属するが、その中心に立つプラタナスの大木は若きスキタイに喩えられているほどなので、ダンテの地獄の、自害者の森の樹木たちとまた異なる。スキタイとは古代に黒海およびカスピ海の北岸の草原に活躍した騎馬遊牧民族である。長髪に長髯をたくわえた精悍な騎手たちであったらしい。白皙の若武者が詩では想われている。

しかしその足をその置かれた所に捉えられていることでは、ダンテの森の灌木たちと同じである。もとより地獄の空とは懸け離れた蒼天がひろがり、そのあまりの澄明さで樹を激昂させるようだが、天のほうは木蔭まで降りて寛いでいる。初冬の晴天らしい。大海を渡るようなその樹冠から風も去らず、大地も優しく暗く、その木蔭に驚嘆することを片時も止めそうにもない。まさに天地の寵児である。

まわりにはやはり同類たちがいる。畏懼すべきヒュドラー——陸《おか》へ上げて、醜怪なる大地母神としたか——にどれも繋がれている。ポプラにウバメにカエデ、地下の死者たちに根を摑まれている。ハコヤナギにクマシデにブナ、つねに閉じられ完結した天を叩くことをしばしも止めない。

それぞれ離れて生きながら、一斉の不在から、渾然と泣き声を放っている、とある。何の不在ということでなく、おのれの不在と取るのがいいのだろう。自失としては訳し過ぎのように思われる。あるいは、在るべきところにいない、というのもすでに、不在のうちか。しかしどこから見た、どこに在る存在から見た、不在であるのか。そう問うと思考がはたりと停まるのは、死のことを考える時と同様である。

ところがその中にあって例のプラタナスは別格であるらしい。「彼」に関しては、大地はヒュドラーと呼ばれず、黒いことは黒いが、母と呼ばれている。天は欣んでその木蔭に降りて来る。やはり寵児である。しかし根を囚われていれば、その闊達さも屈曲をふくむ。

樹冠の葉群の過剰なまでの豊饒は厄災の、眠りはこれを夢と為すが、幻影として架けられたものだという。

やがて風が渡りはじめたようで、若き冬の蒼天は樹冠を竪琴と弾《かな》でる。しかし詩はプラタナスを嗾《けしか》ける。いっそ呻いてやれ、と。

身を捩りまた捩り返してやれと求める。身は砕かずに嘆きの叫びを上げ、風の取りとめもなく探す声を、風に返してやるがよいと。

おのれを鞭打ち、みずから生皮を剝ぐ受難者の姿を見せてやれ、そして、燃え立つこともならぬ炎に、松明へ還れと挑んでやれと。

やがて讃歌が生まれ立つ鳥たちのもとへ昇り、魂の精粋が、どこかで炎を夢見る幹の、その樹冠を期待で打ち顫えさせるまで、と。

この新らたに生まれる鳥たちには、この際すでに、火花を想ってもよいのではないか。ダンテの地獄の、第七圏第二環の樹木たちは、炎上を夢見た、とはどこにも書かれていない。そんな解放を仮にも想うことができないのが、ここの樹木たちの定めなのだろう。自害者の分際ではそれ以上に堕ちる地獄もないということか。しかし、枝を折り取られて樹皮から血と言葉が噴き出すところで、これは比喩であるが、あたかも生木の一端を焚きつけると、やがてもう一端からも、しゅるしゅると煙を吐いて樹脂を滴らすように、とここでも火は見える。

喉けは讃美でもある。詩はひそかに《落としどころ》を測るように、讃美の声を高めていく。天がそなたを鍛え、そなたを引き絞り、そなたは大弓となり、天に言語を射返す、とたたえる。その末に、崇高なる樹冠をきらめかせて、樹木が――たまりかねたか――みずから答える。

それは違うぞ、嵐はひとしなみに遇するだけだ、一本の草に吹くのと同じに、と。

13 吉き口

エウ・フェーミアーという言葉が古代ギリシャ語にある。吉《よ》き前兆を告げること、吉兆の告知、というほどの意味になる。ところがこの言葉が沈黙という意味にも使われる。畏れ慎んで黙ること、敬虔の沈黙である。

告知と沈黙と。予言者になるか占者になるか解卜者になるか、神官になるか巫女になるか、とにかく兆を告げる者と、それを待ち受ける衆、という光景は見える。告知の前の沈黙は両者にある。神々のお告げはもとより畏れ慎んで待ち受けなくてはならない。あるいは、吉兆は敬虔なる沈黙によって招来される、というこころもあったことか。

アイスキュロスの悲劇オレステイア三部作の、最終部「恵みの女神たち」の大団円は、復讐《エリーニュース》の女神たちがその忿怒をアテーナー女神にようやく宥められ、今後アテネの都市にとって恵みの女神《エウメニデス》になることを約束し、市内の祭祀の中心地にある地下の洞窟に移り住む。それをアテネの市民たちが老若男女、歌い舞いながら送る。その祝祭の行進の場面になる。先導の者たちが女神たちに出発を促す。

――さて、お越しを、荒ぶる女神がた、夜より産まれた産まずの御子たち、賑わい競う楽の音に送られて、どうかお立ちを。喜んでお伴をつとめましょう。

静粛にされよ、国びとら。

――地の下の聖なる奥処にあって、礼拝と供物を手厚く享けられることになりましょう。

静粛にされよ、市《まち》びとあまねく。

《静粛にされよ》と訳した箇所が、動詞のエウ・フェーメオーの、命令形になる。畏れ慎んで沈黙せよ、とも訳せる。エウ・フェーメオーはまず、吉兆の言葉を語るの意、ついで、神聖な、あるいは敬虔な沈黙をまもるという意になる。

先導役の者が女神たちに歩みを促すその間、行進の後に続くのを待つ市民たちは、沈黙していることになる。アテーナー女神の説得を容れて、恵みの女神となることを約束したものの、復讐の女神は復讐の女神なのだろう。母親殺しのオレステースという獲物をアテネ最初の裁判により奪われ、この都市に禍いをなすことを誓って叫び狂った、おそらく踊り狂った、その陰惨な姿が、まだ市民たちの目の内にある。女神たちも沈黙して、物を思う様子のようだ。吉と出るか凶と出るか、市民たちにとって事はまだ分岐《クリシス》の上にあるらしい。先導役はさらに促す。

——大地母神《ガイア》と同心の恵み深き女神がた、さあ、こちらへお渡りを。われら畏怖奉る神々。燃え盛る松明を悦びませ、道すがら。
今こそ歓呼の声を挙げよ、諸びと、踊り歌いつ。

——共に住まうことになったこの女神たちより、永遠にわたって、和平の盟約がアテーナー女神の民にあたえられました。これも、すべてを見そなわすゼウス大神と、さらに運命《モイラ》の女神の知ろし召すところ。

今こそ歓呼の声を挙げよ、諸びと、歌い踊りつ。

女神たちが足を踏み出し、祝祭の行列は動きはじめる。歓呼しながら全員退場、近代劇なら幕となるところだ。この《歓呼する》はオロリュゾー、オロロロあるいはロロロというような叫びと想像される。われらの苦手のlの音だが、これをlllと続けて叫べば、lとlとの間におのずと母音が入ると思われる。共鳴音《ソナント》というやつか。因みにアラリユゾー、アララは、戦の際の雄叫《おたけび》なのだそうだ。

ところで、吉兆を告げる、畏れ慎しみ沈黙する、という意のエウ・フェーメオーには、吉兆に応えて歓呼するという意味もある。

オレステイア三部作の第一部は「アガメムノーン」、トロイヤ遠征隊の総大将でありアルゴスの王であるアガメムノーンが国に凱旋するや王妃のクリュタイメーストラーの謀殺に遭って浴槽の中に果てるという、まさに悲劇であるが、その冒頭は近代風に言えばかなり喜劇的である。見張りの男が一人城の屋上に、犬のように、恐らく正面の縁に両肘を衝いて這いつくばるという、珍妙な幕開きになる。いや、幕というもののない野外劇なので、どう演じたものか。芝居の始まりの合図を待って、舞台の奥にある、役者が役変わりの衣裳換えのために駆けこむ平屋の——ついでながら、天幕《テント》も小屋も舞台も場面《シーン》も、すべてスケーネーである——その屋根《スケーネー》の上にそろそろと、苦しそうに腰など屈めて現われ、その姿勢を取って台詞に入ったか。

まず愚痴になる。もはや一年、夜々この屋上にあげられて、眠りもやらず、トロイヤからの戦捷の信号の届くのを、いまかいまかと待っている。唄でも歌って睡気を払おうとすれば、ついこのお館《やかた》の、よろしくない事情を歎きかかり、喉も詰まる。

信号とは松明リレーのことで、敵の陥落の暁にはトロイヤの峯から峯へ送られ、多島海《エーゲ》を島から島へ渡り、ギリシャの本土にあがればまた峯から峯へ飛んで、たちまちアルゴスの城の正面の山上に至るという。王妃の考案した手はずらしいが、この人為《テクネー》がすでに僭上《ヒュブリス》と人には感じられているようだ。

そこへしかし山上の松明が点り、振り回される。見張り番は跳ね起きて雀踊《こおど》り叫ぶ。

——アガメムノーンの奥方、アルゴスの王妃に大声で告げ申す。お褥《しとね》より急ぎ起きられい。松明の吉報に答えて家中一同に歓呼の声を挙げさせられい。イリオンが、イリオンの城が落ちました。火の伝令がこれこのとおり、しかと伝えております。このわしは、祝いの踊りの、まず音頭を取らせてもらいましょうか。

この《吉報に答えて》が、エウ・フェーメオーの、文法で言うなら現在分詞である。吉報に答えての歓呼という続きになる。畏れ慎しむ沈黙が、吉報を迎え取って、歓呼の叫びに変わる。エウ・フェーメオーは一言のうちに、吉兆の啓示を前後にしての、畏れの沈黙と喜びの応答との、両面にわたる。しかしこの場面ではすでにアイロニーがおのずとそこにふくまれるようだ。見張りの男の喜悦の燥ぎの、調子がまもなく急にさがるのだ。

――御帰還の殿様のお手をこの手に親しく取りたいものだ。しかし余計なことは黙っていよう。でっかい牛が舌の上に乗ってしもうた。お城自身が、もしも声を得たなら、はっきりと告げることだろう。わしは、知っている者には話しもしようが、知らない者には、知らないよ。

この《黙る》は、吉兆を待って畏れ慎しむ敬虔の沈黙ではなくて、単に口を閉ざすの意味のシーガオーである。何に口を閉ざすかと言えば、王妃の《不倫》と、アルゴスの、タンタロスの一族の、《因果》である。アガメムノーンの父はアトレウス王。そのアトレウス王の妻に弟のテュエステースが通じる。それを恨んだアトレウスはいったん追放したテュエステースを赦したと見せかけて国に呼び戻し、和解の宴席で、先にひそかに殺したテュエステースの幼い息子たちの肉を料理して、これを父親に喰わせる。そのテュエステースの遺児が、アガメムノーンのトロイヤ遠征中に王妃のクリュタイメーストラーに通じた、アイギストスである。その復讐の一念はまだ果たされていない。また王妃には、トロイヤ遠征隊の航海を妨げる嵐を鎮めるために王女のイフィゲネイアを生贄に取られた、母親の恨みがある。

これらのことは、後の台詞からもわかることだが、アルゴスの巷間でもささやかれていた。ほとんど、周知の事実であったらしい。周知の事実こそしばしば秘密となる。知っていても、そして知った者どうしでは気安く口外しあっても、そこからの帰結を思うことは憚る。それがもっとも深刻な秘密の、徴《しるし》なのかもしれない。

また芝居の冒頭に現われる見張りの男は庶民につらなる分際であり、王家の恐ろしい運命にかかわるなど真っ平御免の口であるが、それがそのまま、トロイヤ陥落の信号の松明の振られるのを目にした瞬間からしばし、心ならずも予言者の、いまこの時アルゴスで唯一人の予言者の立場に置かれる。吉報の到来が凶事の始まり、それ自体凶兆であることを、おそらく知っている。知っていて、知らない。

ここでも沈黙とは、招来にひとしいことになるか。

予言者と言えば、トロイヤの王女カサンドラーの狂乱と愁歎はアガメムノーン劇中の、副線ながら圧巻である。国敗れて、敵の総大将アガメムノーンの手に籤によって落ちる。被征服の女奴隷の身分になり、アガメムノーンの床にも仕えたようだが、文化的に先進のトロイヤの国の、神事祭事の知識に長けた王族の子女として、アルゴス王家の竈《かまど》、家の祭祀にあたらせるために連れて来られたらしい。

予言者である。懸想したアポローン神から、身を許すことを約束して予言の能力を贈られた後、その約束を破って逃げた。処女の気おくれというよりも、神から付けられた予言の能力でもって眺めれば、祖国の滅亡ばかりが見える、という怯えからだったのだろう。しかしいったん人間に贈ったものを取り返すことは神にもできない。そこでアポローン神は、人に信じられるという能力をカサンドラーから奪う。その結果、カサンドラーがいかにトロイヤの破滅を告げても、誰一人として聞かない。滅亡の予言こそ人には聞こえないという、予言というものの矛盾と徒労とを、一身に背負ったような存在である。

そのカサンドラーがアルゴスの王城の門前で、市民の長老たちから成る合唱隊《コロス》の長に促されて車から降り、アポローン神の像を目にするや狂い叫ぶ。

――オトトトトーイ、ポポイ、ダー。アポロン、アポロン。

――アポロン、アポロン。街道の護り神、私には滅ぼしの神《アポローン》。

あなたはじつに、重ねて私を滅ぼそう《アポーレサス》となさる。

再三の叫びを聞いてコロスの長が恐れ咎める。

――またしても不吉なことを口走ってアポローンを呼ぶ。悲歎の叫びをもって近づくにはふさわしからぬ神であるのに。

この《不吉なことを口走って》と訳したところがデュス・エウフェーメオーであり、デュスはおおよそ英語の dis にあたり、意味を否定か反対のほうへ転ずる。

カサンドラーとコロスの長との対話は続く。まず奴隷の身となってもカサンドラーの内に神的な力がなお留まり、何かを告げようとしているらしいことを、コロスの長は察知する。やがてカサンドラーはアトレウス家の過去の凶事を、その凄惨な光景を目のあたりに見ながら——幻視者、見者なので——語る。これには一々、コロスの長は思い当たる。

——いかにも、そなたの見者としての名声はわしらもつとに伝え聞いておる。しかしわしらにはいま、予言者は入り用でないのだ。

すでに腰が引けている。続いてカサンドラーはアトレウス家にこれから起こる凶事のことを告げる。凶行の場の浴槽と凶器の投網《とあみ》も見えてくる。神的な狂乱に取り憑かれての暗示語りではあるが、殺害という言葉が出ても、牝牛から牡牛を引き離してください、とまで叫ばれても、コロスの長老たちは深く震撼されるものの、これをアトレウス家の因果と思い合わすことができない。かわりにカサンドラーが同じ口からトロイヤの破滅を歎いて、我が身の運命を予告すれば、これは長老たちの耳に聞こえる。

——何と明瞭にそなたは語ったことか。三歳の童児でもこれを聞けばわかるだろう。

アトレウス家の過去の惨事をその場に居合わせたように見るカサンドラーに感歎しきりの長老たちに、カサンドラーはアポローン神との経緯を打明ける。裏切られたアポローン神から、人に信じられるという能力を奪われた顚末まで話すと、長老たちは首をかしげる。

——そなたの予言は信じるに足るように、わしらには思えるがな。

カサンドラーの予言が人に聞こえないのは、アポローン神の呪いによることだが、見者であるというところからも来るようである。もはや謎めいた言葉では語りますまい、とカサンドラーは長老たちに宣言しながら、いざ予言にかかれば、見者のエク・スタシスに取り憑かれ、館の内に逗留して血の宴を張る復讐の女神たちの群れが目のあたりに見える。腹を割かれておのれの内臓《はらわた》を手にして坐る子供たちの姿が見える。理路は理路でも、幻視の順次によって語ることになる。これが過去の事柄にかかわることであれば、聞く者に得心という以上のものを呼び覚ます。ところが未来のことになると、ギリシャの船団の指揮者にしてトロイヤの征服者、あるいは、妻にして夫の殺害者、とかなり露わな指示を混じえても一向に、人の腑に落ちない。ついに業を煮やして、

——アガメムノーン殿の御最期をあなたは見ることになるでしょう、と私は言っているのです。

と名まで口にすると、コロスの長はまた咎める。

――滅多なことを言うでない、不幸な女人よ、口の烈しさを鎮められい。

この《滅多なことを言うな》と訳したところがまたエウ・フェーメオーの、命令形になる。否定形ではない。肯定の命令形のまま、《それを言うな》という意味になる。人が不吉なことを口走った時に、咎めると同時に防禦の心で発せられもしたようだ。我国の古くは《あなかしこ》へ、俗には《ツルカメ、ツルカメ》へも通じる物言いか。《吉兆を告げる》の命令形が《縁起でもないことを言うな》という意味になる。しかもここでは、すぐれた予言者にたいする、禁止の言葉になっている。予言者とは本来、吉兆を告げる存在なのか、凶兆を告げる存在なのか、という古い問題へつながっていくことなのだろう。エレミヤは、イスラエルの滅亡を意志する神から言葉を預った者なので当然のことなから、凶を告げるのが真正な予言者のしるしだ、と敵対者の前で言い放っている。そのために、マーゴール・ミッサービーブ、汝の周囲あまねく恐怖、という呪いの仇名を投げ返された。テイレシアースはオイディプース王に、絶体絶命の凶を告げるよりほかにない窮地へ追い込まれた時、家へ帰らせてくれ、と懇願する。カサンドラーの予言が、未来に関するかぎり人に信じられなかったのも、アポローン神のはからいばかりでもなさそうだ。

カサンドラーとコロスの長との問答は続く。

——口を噤んだところで、この予言の前にはいかなる救いの神も立ちはだかることはないでしょう。

——そうには違いない、もしも予言が真実《まこと》であるならば。しかしおそらく、そういうことにはならぬであろう。

——徒《あだ》な望みを頼みにしている間にも、あの人たちは殺害の謀り事を温めております。

——どこの男がそのような禍いを企んでおるのか。

——ああ、これほどまがまがしい予言も聞こえないほどに、神《こころ》を昏まされているのですか。

——手を下す者たちが誰なのか、それが思い当たらぬのだ。それにその手立てとが。

——ギリシャ語はよくよく話せるつもりですが。

——デルポイの巫女《ピュティア》もギリシャ語は確かなものだ。それでもお告げは判じ難い。

ほとんど《喜劇》すれすれの行き違いに聞こえるが、ここで予言者カサンドラーは絶望の極みに至る。いま一度アポローン神を恨んで、我が身の運命を嘆き、アガメムノーンと自身の最期を、もはや予言者の本領の比喩語りになるが、一段と明瞭に予言した末に、結局は人の物笑いの種となった予言の能力の恵みを呪い、そのしるしである杖や首飾りを取って、せめてもの報復に地へ叩きつける。

——私のかわりに、どこぞの厄病神をさいわい人《びと》にしてやるがよい。

《厄病神》と訳したところはアテーである。アテーとは眩惑の意に発して、厄災という意になる。カサンドラーはここでは厄災の予言者のことを言っている。
真正の予言者は所詮アテー、というこころもふくむか。
これは予言する側の絶望である。予言される側の絶望はつとに、カサンドラーが初めに神的なエクスタシスに触れて不吉な予言めいたことを口走り出した場面で、困惑した長老たちがこれを先取りしたかたちで歌っている。

——神託から吉事が人間に啓《ひら》かれたためしはあるだろうか。厄災を通して、複雑多岐な神語りの技は我らに恐怖をもたらして真意を悟らせるのみ。

あるいは、人は最も深く知っている因果こそ、知らないのかもしれない。

14　宿業のキューマ

——ならば、予言が被衣《かずき》の下から新妻のようにのぞく、そのような語り方はもうやめましょう。予言は明々《あかあか》と、黎明に向かって風と吹き寄せるのがふさわしいことです。それでこそ、やがて波とうねり、早朝の光に打ちかかり、過去よりもはるかにおそろしい、厄災が顕われましょう。今からは謎の言葉を告げることは致しません。

捕われのトロイヤ王女にして予言者の、カサンドラーの言葉である。アイスキュロスの悲劇「アガメムノーン」の中に見える。劇中に時間の飛躍はあるが、朝方になるか、トロイヤから凱旋したアガメムノーンを、女王クリュタイメーストラーによる謀殺が待ち受けている。

これをカサンドラーはアルゴスの長老たちに告げようとする。というよりも、見えてしまうので叫ぶ。ところが幻視語り比喩語りながら言葉を尽くしても、長老たちは恐れを掻き立てられるばかりで、これを悟らない。予言者は見者であり、その予見は過去と未来との双方にわたるが、カサンドラーがトロイヤの人間の知らぬはずのアルゴスのアトレウス家の過去の厄災を語るかぎり、長老たちは一々合点してカサンドラーの能力に得心するものの、事が未来に及ぶと恐怖のほかは聞こえなくなる。それに憮然としたカサンドラーの言葉である。

しかしこれも結局、徒労に終る。まず、謎の言葉では語るまいと約束したカサンドラー自身が、語り出せばいよいよ幻視者になり、口を衝いて出るのはまさに厄災の情景を目のあたりにした迫真の言葉であるが、真に迫るほどに長老たちには謎めいた言葉に聞こえて、これも過去との符合のかぎり得心によって震撼させるが、未来の予言となると、震撼ばかりとなる。悟る間際まで行って、悟ることを拒んでいるかに見える。節々で腰がひけながら、それでも尋ねに尋ねる。過去と現在と未来を結びつけられない。あげくにはカサンドラーが業を煮やして、アガメムノーン殿の御最期、と単刀直入に話せば、滅多なことを言うでない、と咎める。絶望したカサンドラーは、人に信じられるという能力を自分から奪ったアポローン神を恨んで、予言者であることを厄災《アテー》と呪って、館の内へ自身の最期に赴くことになる。

ところで、先に訳して引用した箇所を、もうすこし自由に読ませてもらうことにして、「予言はヴェールの下からのぞく新妻ではもはやなくて、いまやあからさまに、陽の昇るにつれて立つ風となり吹きつけ、つれて大波が起こり、朝の光へ飛沫をあげるように、過去よりもはるかに恐ろしい……」と流しかけた時、大波の、キューマという原語にこだわった。辞書で確め直すとキューマには、大波、上げ潮、寄せ波のほかに、胚珠、胎児の意味があった。同根の動詞はキュエオー、ふくらむという原義から、孕んでいる、身籠っている、の意になる。

ヴェールの下からのぞく新妻とつなぐと、厄災の受胎、予言が厄災を受胎する、ということが思われたが、それがどうした、と通り過ぎた。

——起こることは起こるにまかせる。俺は俺の、たとえ賤しかろうと、種《たね》をあくまでも尋ねて見せる。あれはどうせ、家柄を誇る女の性《さが》、俺のよろしからぬ素性を恥じているのだ。俺はもとより自身を天運《テュケー》の、恵み惜しまぬ天運の、産みの子と心得ているので、人に辱かしめさせるものではない。天運を母として生まれ、また同腹の歳月たちがこの俺を、尊くも卑しくも、人と成した。そのような生を享けて、ほかの者にはさらになりようもないものなら、おのれの氏《うじ》を問わずにおくものか。

オイディプースの言葉である。ソフォクレースの悲劇「オイディプース王」の、終盤にかかる場面になる。王妃のイオカステーはすでに絶望して館へ駆けこんだところだ。真相の何が、オイディプースにとって、すでに顕われているか、何がまだ隠されているか、その宙吊り、サスペンスをもって鳴らす芝居であるが、現代人の恐怖と推理によってこれをたどれば、読む側に多少の齟齬も来たすようだ。知らぬふりをして、出来れば知らなくなって、読むのがよいと思われる。その物語も知らず、そして近代得意の、深層心理学も知らずに。

この場面でのオイディプースの知る知らぬの、「現在高」はこんなところか。

まず、激昂した予言者テイレシアースに、先王ラーイオスの殺害者と指摘される。

つぎに、王の動揺を解こうとするイオカステーから、先王にかつてデルポイの神託がくだり、我が子の手によって果てることになるであろうと告げられ、慎しんでいたが生まれることになった子をキタイローンの山中に捨てた、と知らされる。神託はついに成就しなかったという意で語られるが、この事情は当然、オイディプース自身に関してデルポイからくだされた、父を殺し母と交わることになるという神託と思い合わせられる。しかしこの父母とはあくまでも、コリントスの王と王妃である。

つぎに、王に迫られて王妃は先王の殺害の現場のことを、唯一人難を逃れた従者から聞いたかぎり話す。デルポイから来た道とテーバイからデルポイへ向かう道との出会う辻である。切通し道にも被害者の姿にも、オイディプースには覚えがある。しかし加害者は複数という虚偽がその証言にはふくまれていて、疑惑を塞ぐブロックとなる。

つぎに、コリントスからいきなり使者が現われて、コリントス王の死去を知らせ、これを聞いたオイディプースが父親に関わる神託の結末には安堵しながら母親の存在をなお恐れていると、じつはコリントス王の実の子ではないことを使者は教える。牧夫であった頃にキタイローンの山中に得てコリントス王に差し上げたという。赤児は両足の踝《くるぶし》を針で差し貫かれて留められていたという。捨てられた事情は、自分はこれを牧夫仲間から渡されたので知らないという。その牧夫はラーイオス王の従者だと言っていたという。

ここまで聞いてイオカステーは王に迫って、これ以上出自を尋ねて自分が誰であるかを知ろうとすることを、王自身のためにもやめるよう、まさに懸命に懇願するが聞き入れられず、もはやこれまでと覚悟して館の内へ走り去る。

オイディプースにとっても、真相は割れたも同然に見える。後はラーイオスの牧夫の到着を待つばかりになる。そこへもって来て、先に引用した、高揚の表白である。解放感すら聞こえる。天運《テュケー》の産みの子とは、申し子という意《こころ》になるのだろうが、また大胆な挑みである。なまじの心理分析は避ける。それよりも、さらに怪しいのは、一部始終を聞いて不安の極致に至ったはずの長老たちが、王の表白に答えて、キタイローンへの、ひいては王への、讃歌を唱え始めることだ。

——われらが予言を心得た者であり悟りに聡き者であるならば、オリュンポスにかけて、キタイローンよ、そなたはつぎの満月の夜に至って聞かずにはいないだろう。われらがそなたをオイディプースの同郷、養い手にして母親と仰いで、讃歌と舞踏をはるかに捧げるのを。われらの王家に恵みをもたらした恩人と称《たた》えて。守護の神アポローンもこれを嘉し給え。

永遠に若きニンフたちの中の、誰がそなたを、オイディプースの君よ、産んだのか。山中で出会った牧羊神と睦んで、パーンをそなたの父となしたか。それとも田園をすべて愛《め》でるアポローンの、臥処《ふしど》の伴であったか。はたまた、キュレーネーの丘陵を領するヘルメースがそなたの父か。はたまた、峯々に住まうバッカスの神がヘリコーンの山の、分けても遊び馴染んだニンフの腹から、そなたを孕ませて子宝として享けたか。

田園と訳した箇所は農牧の野とも訳せて、自然でありしかも人の手の入った平らかな土地のことと思われるが、これがさらに、アポローン神がそこのニンフと交わった理由《わけ》ともなっているようなので、豊饒の方向の、性的なふくみのあることのように感じられる。ニンフの腹から、そなたを孕ませて子宝として享けた、と訳したのはまわりくどい。簡潔には、ニンフの腹からそなたを子として享けたと訳すべきところだが、その「子」に当たる原語がキューマ、胚珠・胎児なのだ。

キューマを享けてキュエオー、ふくらむのは母親の腹ではないか、という素朴なこだわりが礙《さまた》げとなったらしい。キューマという原語が使えるならば、ニンフの腹からキューマとして享けた、と訳すのが最善に違いない。となるとこの場合、キューマとは父系の種《スペルマ》によって伝えられ、ふくらんでいく、幸いのそれか厄いのそれか、「受胎」と取れる。産む産まれるが、父系の筋から考えられることが、古代ギリシャ語にはしばしばあるようだ。

そもその初めにデルポイの呪詛の、キューマを享けたのも、イオカステーではなくて、ラーイオスである。

こうして半神のキューマへの讃歌が唱えられるその間、ラーイオスのキューマでありながら同じ畑からキューマを授かったという秘密が、関連の輪の最後の一点を結ばれて完全に露呈する、その時が迫っている。館の内の、新婚からの閨《ねや》の中でイオカステーはすでに縊れていた。

と、ここまでキューマという言葉に引かれて来たが、別のテキストではキューマではなくて、ヘウレーマとあり、ヘウレーマとは天の授かり、まさに子宝の意味になり、私のキューマにとって身も蓋もないことになるが、しかしヘウレーマはヘウリスコー、「見つける」という動詞から派生する名詞で、拾いっ子つまり捨て子という意味をすでにふくむところに、私はひっかかる。まあ、毒を喰らわば皿までの意気で進むつもりだったが、オイディプース劇のようやく終盤にかかる所で私のほうが早々に、さしたる役もないようなので、退場させてもらうことにして、しかし引き際にもうひとつ、「捨て台詞」ではないけれど、気にかかることをつぶやいておきたい。

この古代ギリシャ語のキューマ kȳma と、フランス語のエキュム écume（泡）とのつながりである。

じつはない、ようなのだ。écume はゲルマン系の、英語なら scum、あるいは skim、ドイツ語なら海泡石のメールシャオムの Schaum などと同根で、schûm という古いゲルマンの言葉にまで遡り、ふつふつと沸いて表面を覆うものの謂なのだそうだ。しかし古代ギリシャ語に通暁した近代フランスの詩人が、écume の中に kȳma を見るということは、ないのだろうか。たとえばポール・ヴァレリーの詩の中のつぎの三行である。見当はずれがあればすぐに識者の目に露呈するように、ここは原文を引いておくと、

Quel pur travail de fins éclairs consume
Maint diamant d'imperceptible écume
Et quelle paix semble se concevoir!

どう取ったのか、と困惑されぬよう、拙訳を添えれば、

——何という、精緻な光輝の、純粋なはたらきが、目に見えぬ泡の、幾多のディアマンを輝き尽くさせ、そして何という平和がここに懐抱されるようであるか。

écume と concevoir、泡と懐妊である。この「泡」は空しく沸いて空しく消える、うたかたではあるが、海の、ひいては万有の、生殖および増殖の活動の、表面に浮かんできらめくものでもあるはずだ。その「泡」の輝きの尽きたところで平和が成就する、という順の流れと重なって、受胎の尽きたところで懐妊が生ずる、という逆理もふくむことか。そしてマラルメの、出港の乾杯の詩の、冒頭の一行。

Rien, cette écume, vierge vers（何ものでもない、この泡、処女のごとく真白《まっさら》な詩篇）

Rien と écume と vierge と、空および虚の方向へ響き合う。しかし不妊の形象に付く覚悟を見せながら、じつは奇跡的な懐妊が、一篇そのつど、すでに成就しつつあることを、ほのめかせたものではないか。

オイディプースたちの宿業をようやく免れた受胎なのか、やはり免れていないのか。

15　夕映の微笑

下手な標本をつくるような真似はするな、とある人から、外国の詩を紹介の用もないのに日本語へ移すことをたしなめられた。標本は標本でも、黒アゲハだかオハグロトンボだか分らないようではみっともない、とさらに駄目を押された。

さて、これは黒アゲハに見えるか、オハグロに見えるか、それとも、頼まれもしないのに訳しにかかった者の、極楽トンボか。私の例によって行を立てぬ、半散文の訳となった。

さてこそ君らは薄暮を往き、同行《とも》は夕映の微笑。君ら、沈み行く時代よ。すべてが黙契の内に同意された上は、君らは心乱さず、避けられぬ苦を負う。

おのれを挙げて捧げる者は享けることも寡く、ただ薔薇色の額を、ひたむき押して遠方を目指す。さてこそ君らは薄暮を往き、同行は夕映の微笑。沈み行く時代よ。

それでも時にひときわ和らいだ音色が、ひときわ馴れた寄り添いが、感応のように償いのように、そして暗示を銜む沈黙が君らをつつんで流れると、何かの希望がひそかに萌すかに感じられ、

慄える腕を胸に押しあてて君らは、往く夕《ゆうべ》を繋ぎ止めようと、束の間でも夕が足をためらわせはしないかと待つが、しかし君らの同行の夕映の夢見たものは、明日なのだ。

シュテファン・ゲオルゲは一八六八年生、その一九〇〇年に出された詩集『人生の絨緞』の内に収められ、「苦の兄弟たち」と題される。中世の苦行者たちの共同体が想われているはずだ。沈黙の巡礼の光景である。薄暮の町を脇目も振らず、残照へ向かって通り

抜けていく。

苦行の巡礼者たちは、「沈み行く時代」と呼びかけられている。

三節目の、「音色」と訳したところは独語でも英語でもトーンであり、色調つまり視覚的なものでもあり得る。さらに、「寄り添う」という動詞の不定詞が同格として重ねられているところでは、肌つまり触覚にも訴える。夕映の、風の、声音でもあり色合いでもあり、愛撫のようなものだ。「物の匂ひ」とでもいうところか。ただし、「約束」の幻覚である。ほとんど一瞬のものと取れる。

夕映が約束の色に染まり、巡礼者たちは思わず恋着の息を詰めるが、しかし夕映はまた来る明朝《あした》を夢に見たのにすぎない、というのが「挙句」になる。佗しい「挙句」ではないか。巡礼者たちは明日へ向けて進んでいるのではないのだ。

日の暮れるのを惜しみながら、明日もまた明けることを、自身はもはやそれを見ることもないかのように、ひそかに恨む病人たちもある。

ところで、詩の冒頭を「さてこそ」と訳したが、ここはただのsoである。頭のほうにあまり重い訳語を置くのは、後で動きが取れなくなるので、翻訳として下々の策だと言われるが、それでもなぜ「さてこそ」などと始めたかを言えば、おそらくこのsoには、この詩に至るまでの、さまざまな経緯と、そして是非もない帰結についての、既知がこめられているのではないか、という私の思い寄りからである。とりわけ、司祭としての詩人という理念に殉じた、あるいは殉じつつある詩人たちの、その経緯と帰結が、つまり「運命」がこのsoに集まっているのではないか、と考えたのだ。

この辺でよしておけばよさそうなものを、さらにまた、このsoはマラルメの「不運Le Guignon」を踏まえたものではないか、という想像に誘われることになった。あぶなっかしい筋である。マラルメの「ル　ギィニョン」の末尾の、品《しな》を下げて訳すなら、これらの英雄たちは、悪い冗談ばかり仕掛ける災難にほとほと疲れ果てて、これもお笑い種《ぐさ》、街灯に首を吊りに行く。これをゲオルゲの苦行者たちの、さてこそ君らは薄暮を往き、同行は夕映の微笑、君ら沈み行く時代よ、これとどう繋ぐというのか。

マラルメはゲオルゲにとって師の一人ではあるのだ。二十の歳にゲオルゲはパリにあって、マラルメの火曜会に招かれている。「ル　ギィニョン」が最終的な形で『詩集』に収められて世に出た頃にあたる。司祭としての詩人という理念もマラルメの筋だとも言える。ただし師匠の場合は、

——なぜなら先生《メトル》は三途の川《ステュクス》まで泪《なみだ》を汲みにお出かけになってお留守なので。「無」殿

が唯一光栄となさるお道具、詩句《プテュクス》を提げて。

マラルメの「ル　ギィニョン」も同じく行進、プロセションではある。一行は、紺碧《アジュール》の托鉢僧《こじき》と呼ばれる。寒風に旗を押し立てている。海に出会う希望にひたすら駆られ、パンを持たず、杖も持たず、壺も持たず、ただ苦い理想の、黄金のレモンを齧じる。同行の大半が夜の道中に命絶えるらしい。死こそ、寡黙な口への唯一の接吻とある。その敗北は、峻厳な天使の手により、地平に高く、抜身の剣の形を取って建てられるとある。この辺までなら、ゲオルゲの詩と響き交わす。ゲオルゲの苦行者たちが一瞬感じた夕映の「匂ひ」も、接吻の予感のようなものである。

「ル　ギィニョン」には冒頭から諧謔の慄えが感じられるが、ここまではとにかく、栄光の捨身者たちの行進である。彼らが恍惚たる悲嘆に弾む足取りで通りかかると、民衆はひざまずき、彼らの母親は立ち上がるという。ただし、これは往時の事であるらしい。それら先輩たちの跡をたどる百人もの兄弟たちは人に嘲られ、陰険なる偶然の、殉教者と詩は彼らを呼ぶ。martyr は martyr でも、滑稽なる、という形容が付く。

おなじ涙に頰をやつしているのに、おなじ愛でもって灰を喰っているのに、これら後輩どもを嘖む運命は、すでにして、下賤でお巫山戯《ふざけ》だという。彼らにしても、声の濁った連中の、奴隷根性の同情を、太鼓のようなものを叩いてそそることはできた、とあるのは先輩ボードレールの、同じく「ルギィニョン」の中の、私の心臓は物にくるまれた太鼓のように葬送の行進の拍子を打つ、を踏まえたものか。しかし、わずかに感心してくれるこの繊細なる連中は呻くことプロメテウスのごとくだが、ただし、一羽の鷲もいない、と突き放す。

それにひきかえ、遅れて来た「殉教者」たちには、鞭をふるって追いかけ回す癇癪持ちの暴君があり、という運びで、ギィニョン殿の登場になる。ちなみに、ギィニョンとは、賭事のほうの、ついてないというほどの意味になるようだ。「ブタ」と訳してはなまなまし過ぎるか。

一行の誰かが珍妙な喇叭を吹き鳴らすと、たまたま喜んだ餓鬼どもが尻に拳をあてがって、そのファンファーレを口真似して、それがまるで駄目判でも捺すように聞えて、われわれ通りがかりの者の腹を際限もなく捩らせる、とそんなぶざまなことになったとしたら、これはひとえに、ギィニョン殿のお陰だ、とある。

誰かが折角、しなびた胸にお飾りの花束を抱えて、花の輝きが妙齢を甦らせたはよいが、その折りも折り、口から涎が垂れて、呪われた花束の上に落ちて、とろりと光る、とそんな惨めなことになったとしたら、これもまた、ギィニョン殿のお陰だ、とある。花束 bouquet という言葉には恋愛詩という意味もあるようだ。

そのギィニョンの姿はと言えば骸骨の侏儒で、羽飾りのついたフェルト帽をかぶりブーツをはき、腋には毛のかわりに虫がうごめく、とあるので中世伝来の死神 Mort 像に近いが、Mort の丈が矮小だという話は聞いたことがない。この意地悪者に頭に来た詩人たち——詩人と呼んでもよいか——は剣を抜いて挑みかかるが、剣は嫌な空音《からおと》を立てて、月の光を切って骸骨をすりぬける。

不運を聖化する自惚れを持ちかねてうたた荒涼、性悪の嘴に突《つつ》かれる手前の骨の、その仇を取ってやろうにも佗しくて、彼らは憎しみの差すのをひたすら願う、恨みではなくて、とある。あとは世俗に愚弄される詩人たちのありさまが、惨憺に惨憺を畳みかけ、putain 淫売、baladin 道化、dédain 侮蔑、badin 悪巫山戯と、歯切れよく乾いた諧謔を響かせて、街灯へ奔って首をくくる結末まで連ねられるが、後を追うのはやめにする。なにさま、ゲオルゲの「苦行者」たちと、雰囲気が離れすぎた。

一八九八年にマラルメは五十六歳で亡くなり、一九〇〇年にゲオルゲは三十二の歳で、この詩の収められた詩集『人生の絨緞』を世に出している。そのような年まわりだが、ゲオルゲは諧謔の詩人ではない。時代の下ったその分だけ、詩人として前代にまさるギィニョンをさまざま見たと思われるが、詩人の孤立をむしろ聖化 sacrer する——マラルメの「ル　ギィニョン」はこれを自惚れ orgueil と呼んだが——その立場を取った。マラルメの詩の中では前代のしょせん幸せなる苦行者たちの、末期の剣の保証人のごとくに、アイロニーをこめて振り返られる天使も、ゲオルゲの詩の中ではまともに現われる。詩人たちの同盟の証しとして、至福の告知者として現われ、時には少年のごとく処女のごとく、ほとんど辱らうかに見える。「聖戦」に倒れた詩人を訪ねもする。

大時代に復したと言うべきか。たしかにマラルメは、すくなくともこの詩においては、ボードレールの後を継ぐ、大都市あるいは大都市化の詩人であり、ゲオルゲはかならずしも、大都市の詩人とは言えない。しかし大時代というものを、個人を超えたスタイルのまだよほど堅固な、たとえばまともな悲劇が都市で上演され人を感動させることのまだ可能と想われていた時代のことだとすれば、そして鮮やかな諧謔の前提が世のスタイルの健在にあるとすれば、マラルメのほうが一世代ほどの差ながらゲオルゲよりも大時代の世に在った、と逆もまた言えそうである。

とにかく、この二詩人をかりに師弟とすれば、師も弟子も、言語と表象を切り詰め、連想の経緯を新らたにし、おそらく固有の音律により、さらに切り詰めて構築するということでは等しく、その徹底のあまり、往々にして一篇の内ではその意味が、その意識も感情も、摑みきれないという難儀さを共有する。過激さではマラルメのほうがまさり、ゲオルゲの詩の幾多は完璧な抒情詩、抒情の極みとして、享受されてしまうこともある。しかし意味へ開くということになれば、ゲオルゲの詩のほうが、そこに与えられた詩句そのものの外まで開くことを拒む、開けば恣意へ拡散するというところがある。

この二つの詩を並べて見て、何になるか。ゲオルゲの苦行者たちの行進はおそらく、もはや誰にも見られていない。そのような詩の響きである。旗も押し立てず、異様な出立ちもなく、カリスマめいた長髪も見えない。そのような詩の匂いである。見物人もいないので、揶揄も飛ばない。しかしマラルメのギィニョンの風はここにも吹き渡っている。

明日を想わぬ「沈み行く」一行に、夕映のひときわ和らいだ微笑は、また明けると決まった明日を夢に見たにすぎない。

16　ドゥイノ・エレギー訳文 1

ライナー・マリア・リルケの「ドゥイノの悲歌」と呼ばれる難物を、第一歌だけであるが、訳すという無分別を冒すことになる。無論、試訳である。訳文と言ってもよい。エレゲイアーとは古来、六韻律《ヘクサメーター》一行と五韻律《ペンタメーター》一行、この一組を単位とした詩の組立てになり、リルケもこの単位を踏んでいるが、印欧語の六韻と言い五韻と言い、これを日本語に移すのは、すくなくとも私にとって、不可能であり無意味でもある。追い込んで訳すことになった。遠い琴の音に、ここに転がる土器《かわらけ》がつかのまでも共鳴することもありはしないか、とその程度の期待である。

＊

誰が、私が叫んだとしてもその声を、天使たちの諸天から聞くだろうか。かりに天使の一人が私をその胸にいきなり抱き取ったとしたら、私はその超えた存在の力を受けて息絶えることになるだろう。美しきものは恐ろしきものの発端にほかならず、ここまではまだわれわれにも堪えられる。われわれが美しきものを称讃するのは、美がわれわれを、滅ぼしもせずに打ち棄ててかえりみぬ、その限りのことなのだ。あらゆる天使は恐ろしい。

それゆえ私は思い留まり、声にならぬ嗚咽をふくむ呼びかけを呑みくだす。ああ、誰をわれわれはもとめることができようか。天使をもとめることも、人間をもとめることも、ならない。しかも敏《さと》い動物たちはすでに、われわれが意味づけられた世界にしっかりとは居ついていないことに、気がついている。どこぞの斜面の木立が変らず留まり、日々に出かければわれわれはそれに出会う。昨日の街路が変わらずにあり、そして年来の習慣が、われわれの傍が気に入って、伸び切った忠実さを見せて順《したが》ってくる。そのようにして習慣は留まって過ぎ去らずにいた。

そして、ああ、夜が来る。宇宙を孕んだ風がわれわれを顔から侵蝕するその時が。いずれこれの訪れぬ者があるだろうか。待ちかねた夜、穏やかに幻想を解《ほど》く夜、苦しい夜が行く手に控えている。愛しあう者たちにとってはよほどしのぎやすいだろうか。彼らはそれぞれ分け定められたものを重ねあわせて覆いあっているにすぎない。お前はまだ悟らないのか。腕を開いて内なる空虚を放ちやり、お前の呼吸する宇宙に、付け加えよ。おそらく鳥たちはよりやすらかになった翼に、大気のひろがったのを感じ取るだろう。

たしかに、春はお前をもとめた。幾多の星もお前に、その徴《しるし》を感じ取ることを望んだ。過去から波が立って寄せる。ひらいた窓の下を通り過ぎると、弦の音がお前に寄り添う。すべて、何事かを託したのだ。しかし、お前はそれを果したか。そのつど、すべては恋人の出現を告げているかのような、期待にまだ紛らわされていたのではないか。大きな見知らぬ想いの数々が出没して、しばしば夜まで去らぬという時に、恋人をどこに匿まうと言うのか。それでも憧憬の念の止まぬものなら、愛を生きた女たちのことを歌うがよい。かの女《おんな》たちの名高き心はひさしくなお十分の不死の誉《ほまれ》を得てはいない。男に去られながら、渇きを癒された者よりもはるかに多く愛したあの女たちを見れば、お前は妬まんばかりになるはずだ。けっして十全な称讃とはなりきらぬ称讃を、繰り返し新らたに始めよ。考えてみるがよい。英雄はおのれを保つ。滅びすら彼にとっては生きながらえるための口実にほかならず、じつは究極の誕生にひとしい。しかし愛の女たちは究め尽した宿命を、内へ納め戻す。あたかも二度と、これを為し遂げる力も尽きたかのように。かのガスパラ・スタムパの生涯をお前は十分に思ったことがあるか。恋人に去られたどこかの娘がこの愛の女の、高き手本に接して、わたしももしや、あの人のようになれるのではと感じる、そんな学びもあるということを考えたか。これら往古よりの苦悩を、われわれにとってついに稔りあるものと成すべきではないのか。愛しながらもなおかつ、愛する人のもとから身を解き放たんとして、その解放の境に震えつつ堪えるべき、その時が来たのではないか。矢が弓弦《ゆんづる》に堪えて、放たれる際《きわ》に力を絞り、おのれ以上のものにならんとするように。滞留は何処にもないのだ。

声がする。呼んでいる。聞け、私の心よ、かつて聖者たちが聞いた、せめてそのように。聖者たちは巨大な呼び声を耳にして地から跳ね起きた。しかしかの女人たちは、信じ難きあの者たちは、ひきつづき跪いたきり、耳にも留めずにいた。そのようにして、聞く者であったのだ。お前が神の、声に堪える、と言うのではない。到底堪えられるものではない。しかし、風と吹き寄せるもの、静まりから形造られる不断の音信を聞き取れ。かの若き死者たちからいまやさざめきがお前のもとまで伝わる。どこへ足を踏み入れようと、ローマの寺からもナポリの寺からも、彼女たちの運命が静かに語りかけはしなかったか。

あるいは気高き墓碑銘が何かを託しはしなかったか。先頃には聖マリア・フォルモサの碑文が。あの女たちは何事を私にもとめているのか。霊の純粋な動きを時にすこしばかり妨げる、誤解の外観をひそかに拭い取ってほしいとの心に違いない。

たしかに、この世にもはや住まわぬとは、不可思議なことだ。ようやく身についたかつかぬかの習慣を、もはや行なわぬとは。薔薇や何やら、もっぱら約束を語る物たちに、人間の未来にかかわる意味をもはや付与しないとは。かぎりなくおそれる両手で束ねてようやく何者かであった、その何者ではもはやなくて、名前をすら壊れた玩具のように棄て去るとは。不可思議なことだ、願いを先へと継がぬとは。不可思議なことだ、互いに関連しあっていた事どもがあのようにてんでに解かれて空中へ飛び散るのをただ見送るとは。死んであるということは労多きものであり、死者自身が徐々に一片の永遠性を感じ取るまでにも、およそさまざま追って埋め合わせなくてはならぬ事どもに満ちている。しかし生者たちはすべて、あまりにも截然と分けるという誤りを犯す。聞くところでは天使たちは、生者たちの間を往くのか、死者たちの間を往くのか、しばしば弁えぬとか。永遠の大流はあらゆる年々を、生死の両域を貫いてひきさらい、その響きは年々を両域ひとしく圧倒する。

結局のところ、若くして奪い去られた者たちは、われわれをもとめはしない。死者はこの世の事どもから穏やかに離れていく。赤児が母親の乳房から育つにつれて安らかに離れていくように。しかしこれほどに深い秘密をもとめるわれわれは、哀悼の心からこれほどしばしば喜ばしき進展の起こるのを見るわれわれは、われわれこそ、あの死者たちなしに済むだろうか。あの往古の伝説はむなしいだろうか。昔、リノスを悼む悲歎の最中《さなか》に、思い切った最初の音楽が、暗澹とした硬直を破って溢れ出たという。ほとんど神々にもひとしかった青年がいきなり、殺されて永遠に去ったその跡の、恐愕にこわばった室の中で初めて、空虚がやがて振れ動いて、現在われわれの心をも魅了し慰め助ける楽の調べと化したという。

*

以上、負け戦をついに上手に引けなかった。六韻・五韻と言っても、古代の長短の韻律に運ばれる悠々たる流れと違って、近代の強弱のアクセントに追われる展開になるが、それでもリルケは前後の切迫の中に、池か沼のような、横のひろがりを留保している、とは感じ取れるのだが、これを訳し取ることが、本来日本語はそれに得手のはずなのに、意味をたどる訳者にさらに余裕はなく、出来なかった。

詩の冒頭に天使があり、天使に呼びかけようとしている。これが訳者にとって、結局、最大の難儀であった。天使、天球、秩序。そして秩序も世界も宇宙も、荘厳も装飾も、すべてコスモスである。文様も文章も、詩もこの内に入るのだろう。天球を頂いて、天球をおのずと映そうとして叶わぬ心の、悲歌であるようなのだ。

17　ドゥイノ・エレギー訳文　2

詩を読んでいる間はともかく、かりにもこれを「散文」へ訳そうとする時に、たちまち感じさせられるのは、私のような流儀の者でも、作家というものはつねに時間の前後関係に沿って文章を組立てているということだ。読んでいる分には不都合とも気がつかないのに、訳するとなると詩文の時制《テンス》の自在さに躓く。つまり事の、人事の、経緯のほうへおのずと関心が向くということだ。たとえば触れ合った男女の、その重ね合わせた箇所に感じられる純粋な持続、とあれば抱擁か、それ以上の進展を思う。ところがその後から、接近の初めの頃の、奇異な、存在と行為の分離が同じ時制の平面において指摘される。しかし原詩の「時」には、さわらぬほうがよい。

＊

あらゆる天使は恐ろしい。それであるのにわたしは、哀しいかな、御身たちを、人の命を奪いかねぬ霊鳥たちよ、その恐ろしさを知りながら、誉め歌った。天使のうちでも最も輝かしきラファエルが簡素な戸口に、旅人の姿にすこし身をやつして、もはや恐るべき姿ではなしに、若者が若者をしげしげと眺めやるふうに立った、あのトビアスの昔は何処へ往ったのか。今ではもしもかの首天使が、これこそ危険な天使が、星々の彼方からわずかに一歩でもこちらへ向って降ったとしたら、迎えて高鳴る心臓がわれとわが身を打ち砕くことになるだろう。御身たちは誰なのか。

黎明に生まれ合わせ、御身たち、天地創造の恵みをありあまるほどに享けた寵児たち、万物の尾根、曙光に染まる稜線。花ひらく神性より飛ぶ花粉、光を自在に伝える継ぎ手、廊であり階であり玉座であり、生きとし生けるものから成る部屋部屋であり、歓喜から成る楯であり、恍惚の嵐の渦であり、そしていきなり、一個に立ち戻って、鏡。流れ出たおのれの美をおのれの顔の内へまた吸い納める。

ひきかえこのわれわれは、物に感じたところから、蒸散させる。ああ、われわれは自身を息と吐き、そして納め戻さない。焚火から焚火へ、匂いを加えながらかすかになっていく。誰かが言ってはくれるだろう。いえ、あなたはわたしの血の内に入ってます、この部屋も、また来る春も、あなたの匂いに満ちてます、と。それがしかし何になる。そう言う人もわれわれを留められず、われわれはその人の内から、その周囲から、消えていく。そして美しかったあの人たち、誰があの人たちを繋ぎ止めるというのか。絶えず顔に表情が浮かんでは去る。朝の草の露のように、われわれのものはわれわれのもとから発っていく。顔の火照りのやがて冷めるのにもひとしい。ああ、微笑んだ。この笑みは何処へ往ってしまうのか。ああ、眉をあげる。あらたに暖く立っては逃げて行く心の波。哀しいかな、しかしこれが、われわれなのだ。宇宙は、われわれがその中へ融けこんで、われわれの味がするだろうか。天使たちはほんとうに自身のものだけを、自身から流れ出たものだけを納めるのか、それとも時には、間違いのように、われわれの存在のなにがしかがそこに加えられるのか。われわれは天使の面立ちの中へ、妊婦の顔に漠とした面影の潜む程度には、紛れこむのか。天使たちは自身の中へ渦巻いて還るその烈しさのあまり、それを気に留めていない。どうして留めることがあろうか。

愛する者たちは、それだけの聡さがあるならば、夜気の渡る中であやしみあうことだろう。というのも、すべての物はわれわれにわれわれの実相を隠している様子に見える。見るがよい。樹木たちは存在する。われわれの住まう家々もなお存続する。われわれひとりがすべての物を掠めて風に吹き抜けられ、内と外とを絶えず交換させるように、通り過ぎていく。そしてすべての物は意を一にして、そんなわれわれを見ながら口をつぐむ。なかばはおそらく恥として、またなかばは、言葉には表わせぬ希望と見て。

愛しあう者たちよ、お互いの間に自足する者たちよ、君らにわたしはわれわれの存否《ありなし》を尋ねたい。君らはお互いを摑んでいる。証拠のあることだろうか。見たまえ、わたしの両手がお互いをしかと感じ取り、わたしのすりきれかけた顔がその中に逃れてしばし安堵する、ということはわたしにもある。そこにいささかの自己感覚も生じる。しかし、それだから自分は在る、と思い切れる者はあるだろうか。それにひきかえ君ら、君らは恋人《あいて》の恍惚の中で存在を増して、そのあまり圧倒された恋人が、これ以上は堪えられないので、と懇願するまでになる。お互いの掌の下で、葡萄の年々のように、いよいよ豊醇になる。時折は消えかかるのも、恋人の存在が完全にまさるという、その理由しか知らぬ。その君らにわたしはわれわれの存否を尋ねたい。わたしは知っている。君らはお互いに触れ合って至福の心でいる。愛撫は保持するので。君らの、繊細な者たちよ、覆い重ねているその箇処《とこ》は、消え去ることがないので。君らはそこに、純粋な持続を感じるので。それで君らは抱擁の、ほとんど永遠を約束し合うまでになる。しかし、初めの幾度かの見つめあいに堪えて、窓辺の人恋いにも堪えて、初めての一緒の散歩、庭を通ってその一度も越える時、それはなお君らだろうか。さらに君らが、お互いがお互いを、口もとに運び、口もとに押しつけ、美酒が美酒を傾けるようにするその時、何と奇異にも、飲む者が、飲むという行為から失せるではないか。

アッティカの昔の墓碑の立像に見られる、人間の分を弁えた男女の手つきの心づかいは、君らを感嘆させせないか。愛情と別離の手が、われわれの時代とは異った素材に成る衣の軽さで、肩に掛けられているではないか。その手が、胴体のほうには力がこもっているのに、すこしの重みを感じさせずに落着く、その様子を思うがよい。この自制の人たちはその手つきで以って、知っていたのだ。この限りがわれわれなのだ、このように触れ合うのが、これがわれわれの分なのだ、と。神々はもっと強くわれわれに迫る、しかし、それは神の事柄なのだ、と。

われわれもまた、澄明な、慎ましい、細く狭い、人間に相応な境域を、河川と岩山の間にわずかにひとすじわれわれに余された肥沃の地を、見出せればよいものを、そう願う自身の心がなおかつ、岩水の奔流に劣らず、溢れてわれわれを押し流す。その荒ぶる心がやがて立像の中へ受け止められてそこで宥められるその姿をも、さらには神々にも似た肉体を取り、おのれを治めてより大きな存在となるその姿をも、済んで眺めることは、われわれにはもはや叶えられない。

＊

ライナー・マリア・リルケの「ドゥイノの悲歌」を第二歌まで、懲りずに訳すことになった。無謀もさることながら、時節はずれの試み、徒労と言うべきかもしれない。

昔、古参の能楽師が幕の蔭からアイの狂言の台詞へ耳をやりながら、この曲は、長年舞って来たが、こんな筋だったたか、と事もなげにつぶやいたという話を聞いたことがある。引き合いにするのも畏れ多いが、下手なアイの狂言のようなこの訳文を綴りながら、長年何を読んできたのだと呆れることしきりで、あげくには、これきし読めない者が何で訳すのだ、とちょっと理不尽のようなケンツクとなった。

しかし読むことは、下手は下手なりに、これも舞いではないか。

第三歌まで訳すことになった。分別は利かないものだ。踏み出したはいいが、もう腰が引けている。これも恐ろしい歌である。呪いを招来しているかに聞こえる。哀しみと響くか、僭上と響くか、その境の抑制がむずかしいところだ。目をつぶって渉ることにする。

＊

愛する人のことを歌うのもよい。しかしすべての張本であるかの血統の河神を歌うのは、哀しいかな、また別のことなのだ。女はこれに遠くから触れて、わたしの恋人と見る。しかしその青年自身とて、おのれの欲求を支配する者について、何を知るだろうか。

娘の心の静まる間もなく、孤独へ戻った男の内から、しばしば傍らに人もないかのように、むごくも、得体の知れぬものを滴らせながら神の頭《かしら》をもたげ、夜の闇をはてしもない嵐へ掻き立てるあの者について。おお、血統というポセイドン。おお、その恐ろしき三叉の矛《ほこ》。おお、青年の胸の、貝殻をこじあけて起こる暗い風。夜は中空となり洞ろな叫びを立てるではないか。運命の星座よ、恋する男がその恋人の面立を慕うのも、そなたたちから由って来た、定めではないか。男が恋人の容貌の、純粋な相を懐かしく見て取るのも、星座の純粋な相から来ることではないか。

青年の眉をあのように強く、期待の弓へ引きしぼらせたのも、哀しいかな、母親よ、あなたではないのだ。青年に寄り添う娘よ、お前に触れて彼の唇はあのように豊かな言葉の稔りへたわんだのではないのだ。お前は実際に思っているのか、お前のかろやかな出現が、春風のように渡るお前が、彼の心をそれほどに揺すったと。たしかに驚愕させはした。しかしその感動の衝撃に乗じて、もっと古い驚愕のかずかずが彼の内へなだれこんだ。彼を呼んでみるがいい。しかし暗い類縁の繋がりの中から彼をすっかりこちらへ呼び出すことはできない。声のほうへ行こう、と彼は意志する。実際に走り出る。お前の親しい胸の中へ飛びこみ、安堵の息をついて、そこに馴染んで、自分自身を取り、自分自身を始める。しかし彼があらためて自分自身を始めたという時は、いつかあっただろうか。母親よ、あなたは彼を小さい者につくった。彼を始めたのは、あなただ。あなたにとって彼は新しい者だった。その新しい眼の上へあなたは親しい世界を撓《たわ》めて覆いかけ、見知らぬ世界の侵入を防いだ。あなたがそのしなやかな姿だけで彼を庇って混沌の荒波の前に立ちはだかった、あの年々は、ああ、どこへ往ったのか。多くのものをあなたはそうして彼のために隠した。夜には怪しくなる部屋を、あなたは無害にした。避難所のたくさんにあるあなたの胸の中からあなたはひと気のまさる空間を彼の夜に加えた。暗闇の中へではなく、より近いあなたの存在の中へ、あなたは夜の灯を据えた。そしてそれは親愛の光をひろげるかに見えた。どこで床が軋んでもあなたは微笑みながらその正体を明かして知らぬということはなく、いつ床板が気迷いを起こすか、まるでその時をとうに心得ているかのようだった。そして彼は耳を傾け、心が和らぐ。それほどのことを、あなたはやさしく立ち上がるだけで、できたのだ。戸棚のうしろへ、長身を外套につつんで、彼の運命は隠れ、カーテンの襞の中へ、出没自在の、彼の不穏な未来はぴたりと身を潜めた。

そして彼自身、寝床に落着いて、安堵した小児、あなたのたやすく形づくった世界を浮かべて睡むたい瞼の下で、ひろがってくる眠りの前味の中へ甘く解《ほど》けかかり、守られた者に見えた。しかし内側では——誰が自身の内を貫く素性の大流を、防ぐことが、妨げることが、できただろうか。ああ、眠る子供の内には用心というものがなかった。眠る間に、しかも夢を見る間に、しかも時には発熱に浮かされて、いかに自身の本性の、侵入を許したことか。新しい者であり物に怯えながら、いかに巻きこまれて、内側に生起するもののさらに伸ばす蔓と絡み合ってさまざまな紋様へ、幼い者を扼殺する成長へ、獣の群れのごとくつぎつぎに襲いかかる変身へ、織りこまれてしまったことか。いかにすすんで身をゆだねたことか、愛したことか。彼の内なる宿命を、その荒野を、愛した。滅ぼされて声もなく横たわる朽木の上に彼の心が淡い芽を吹いた、内なる太古の森を。そうだ、愛したのだ。やがて若木の心を去り、根をさらに深く、荒々しい根源へ、彼のささやかな誕生のときはとうに生き尽された古層まで降ろしに行った。愛しつつ彼はより古い血筋の中へ、恐ろしきものが父祖たちの犠牲にまだ腹ふくれて休む峡谷へくだった。すると恐ろしきものはどれも彼の顔を見分けて目配せを送り、彼と意を通じているかのように見えた。そうなのだ、恐ろしきものが微笑んだのだ。母親よ、あなたですらこれほどやさしく微笑んだことはまれだった。笑みかけられて、彼が愛してはならぬという道理はあるだろうか。あなたを愛するよりも先に、彼は恐ろしきものを愛したのだ。あなたが彼を身ごもった時にはすでに、胎児を浮かべる羊水の中に、それは融けこんでいた。

見るがよい、われわれが愛するのは、花たちのように、わずか一年の内の限りのことではないのだ。われわれが愛する時、思いも寄らぬ深い年々の漿液が腕《かいな》にまで昇る。おお、娘よ、心に留めるがよい。われわれがおのれの内に愛したものは、一人の者ではなく、未来へ向かう者でもなく、無数に入り混じって沸き返る過去なのだ。一個の子供ではなく、崩れた山々の残骸のようにわれわれの地の底に横たう、父祖たちを愛した。往古の母たちの、涸れた河床を愛した。時には暗澹たる、時には晴朗なる宿命のもとにひろがる、音もない風景の全体を愛した。これが、娘よ、お前よりも先に来たものなのだ。

しかもそのお前自身が、わかっているだろうか、お前こそが、お前を愛した者の内に、往古を底から誘い出したのだ。どんな感情が、過ぎ去った者たちの内から、うごめき昇って来たことか。幾世の女たちがお前を恨んだことか。どのような陰惨な男たちを、お前は青年の血管の中に目覚めさせたことか。死んだ子供たちが、お前の腹を求めた。願わくば、ひそやかに、ひそやかに、優しいいとなみを、信頼の置ける日常の仕事を、彼の前で行なうがよい。庭の傍らまで彼を導いてやるがよい。夜々の嵐にまさる重しを彼にあたえろ、彼の手綱を控えろ……。

＊

訳してしまって、言うこともない。どこのウマノホネとも了見しないわれわれ現代の人間は、しあわせである。これが「自由」の賜物である。ウマノホネは無垢である。しかしそのホネの内からも、血統の河神は、小さな渦を巻き起こすのか。妙な物を我身に招来しないうちに、早々に退散したい。

19　ドゥイノ・エレギー訳文　4

　当時すでに大家と称せられた作家の、しばらくの沈黙を破って世に問うた「赤裸」な私小説風の長篇について、小説家の眼とはあんがい人を見ていないものだ、と自身も作中に登場させられたらしく、後に冷淡な感想を述べていた、同じく作家がいた。

　また、長年小説を好んで読んで来て、さもあらんとうなずかされたことも多々あるが、いざ我身が難儀に巻きこまれると、小説で読んだことは心理の参考にもならない、と苦笑していた人があった。しかし我が事が過ぎればまた小説を楽しんでいる、なるほどと膝を打つこともある、それはそれでいいんだ、次元が違うので、とも言っていた。

　ライナー・マリア・リルケの「ドゥイノの悲歌」の第四歌をまた試ることになった。読んでいて、こんなことまで言ってもよいのか、と私も作家のはしくれだけに、はらはらさせられた。

＊

生命の樹たちに尋ねたい、冬とは何時なのか。その到来をわれわれは誰もが等しく察知するわけではない。渡り鳥のように互いに暗黙の了解にはないのだ。時に越され機に遅れ、われわれはいきなり風に感じて争って飛び立ち、そして無縁の顔の池に降りる。花咲きながらすでに枯れかかる、栄えと衰えとがわれわれには同時に意識される。天の一郭を獅子たちはなおも巡り、その輝きが盛んなかぎりは、無力感というものを知らぬというのに。

しかもわれわれには、人と一体、残りなく一体だと思いなしている時でもすでに、対者《あいて》を費《つい》やしているのが感じ取れる。われわれにとって、まず避けられぬものは背反なのだ。愛し合う者たちですら、互いに対者の内なる涯《はて》まで、共に歩みを進めて踏みこもうとはしない。遠方と追求と故郷とを、約束しあった者たちにしてそうなのだ。

ある瞬間が描かれれば、それと正反対にも思う根拠がもうあたえられる。そこまで見なくてはならぬとは苦労なことだ。というのも、われわれとの関係からすれば、人の姿はじつにあからさまなのだ。ただ、われわれは内から触れて輪郭を知ることがない。輪郭を外から形造るものを知るばかりだ。

心の劇場の幕の前で息を詰めて始まりを待たなかった者はあるだろうか。幕が開くと、別れの場面だ。別れの場面とはわかりやすい。見たことのある庭、そしてかすかにそよぐ。さて踊り手が現われる。やめてくれ、役者は願いさげだ。沢山だ。いかに軽やかに舞ったところで所詮は変装であり、終われば一市民に戻り、私用の厨房を抜けて御帰宅になる。

この手の中身の半端な仮面は私には無用だ。それよりは操《あやつ》り人形がよい。これはしっかり詰まっている。縫いぐるみの胴も、操りの糸も、外見だけから成る顔も、私には苦しくない。人形の舞台の前に私は留まる。始まりを待つ。たとえ場内の灯も消えて、出し物はもう尽きましたと言われても、たとえ舞台から人もいない気配が寒々とした隙間風とともに吹き寄せて、寡黙な祖先たちの誰ひとりとして客席に残らなくても、たとえひとりの女性の姿も見えず、横眼にさぐりがちの茶色の瞳をした少年までが立った後だとしても、私はそれでも留まる。見つめ続ける私がいる。

私は間違ってはいないのではないか。私のために、私の人生を嘗めたばかりに、自身の人生の味を苦くした父よ。私の宿命の内から初めに煮出された不透明な液を、私の育つにつれ再三にわたって嘗めては、奇異な未来をふくむその後味をしきりに怪しみ、見あげる私の、涙の曇りのかかった眼を探り眺めた父よ。死んだ後にもしばしば私の内に、私の希望の中に留まって不安に苦しみ、死者の特権である無関心を、無関心という財産を私のささやかな運命のために投げ出す父よ。私は間違ってはいないのではないか。そしてほかの人たちにも尋ねたい。私は間違ってはいないのではないか。あなたたちは私の愛の小さな始まりに答えて私を愛してくれたが、その始まりから私は年々離れた。なぜなら、あなたたちの顔の内に見えた時空が私にとって、それを愛する間に、宇宙の時空に変わって行ったので、そしてその中にあなたたちはいなかったので。

間違ってはいないのではないか。私が今でも人形の舞台の前で待つ心でいても。待つどころか、全霊を挙げて見つめているのだ。ついにはその視線の力と釣り合わせるために、天上からひとりの天使が人形遣いとなって降り、糸を引いて、頽れた人形を立ち上がらせるはずだと。天使と人形と、そこでついに劇は始まる。その時、われわれがつねに、自身の介在することによって、ふたつに割っていたものが、ひとつに合わさる。その時初めて、われわれの知る季節の巡りから、全宇宙の運行の、円環があらわれる。われわれを超えて、天使が演ずるのだ。

一体、死すべき者たちは、人間たちは、われわれのこの世で為すすべてがいかに口実に満ちているかを、推し量れぬものなのか。すべてはそれ自体ではないのだ。幼年の時間を振り返るがよい。そこでは、さまざまな姿かたちの背後にはただの過去以上のものがあり、われわれの前方には未来というものがなかった。いかにも、成長はしてきた。時には、大人であることよりほかに何もなくなった者たちのことを思って、なかばはそのために、早く大人になろうと急ぐこともあった。それでも、たった一人で行く時には、なお持続するものに自足し、世界と玩具との中間にはさまる時空に、太初より純粋な出来事の場として設けられた境に、あったではないか。

子供の宿命を如実に現わして見せるのは誰か。子供を星座の中に置いてその手に距離の物差しを持たせるのは誰か。喉の奥に詰まって固くなる灰色の麵麭から、子供の死をつくりなすのは誰か。あるいは甘い林檎の果実の内の芯のような死を、子供の円い口にふくませたままにするのは。誰が殺戮者であるか、見抜くのはたやすい。それよりもしかし、死を、完全な死を、人生に踏み出すその前から、あのように穏やかに内につつんで、悪意も抱かずにいるとは、その心は言葉に尽せぬところだ。

*

「私は正しくはないか」とまっすぐには訳せるところを、「間違ってはいないのではないか」とひとつひねったのは、途方もない錯誤への恐れを、訳者が踏まえたかったせいである。もしも間違っていたとしたら、まさに死である。いや、詩の内のことだ。

「子供の死をつくりなしたのは誰か」のくだりは、一人の人物を追及しているようにも聞こえる。訳者はどちらかと言えば、子供の宿命をつくりなす諸要因を指していると取るほうだが、それにしても追及の気迫がこもっている。詩の末尾には個人的な深い感慨がありげである。この第四の悲歌には「母性」が現われていないことを考えると、想像をそそれるところだが、そんなお話を構えるのも、この詩の本趣に悖ることになる。

悲歌と言うよりは、何だか説教に近い口調の、口説きの訳文となった。

20　ドゥイノ・エレギー訳文 5

今から十二年半も前の恩人になるが、私の壊れた頸椎にメスを入れて修繕してくれた主治医が、手術の後の経過も順調で退院も間近になった頃、あんなむずかしいことがよく出来ますね、と仕事盛りの医師にやや年の寄った患者がたずねると、夢ではよくうなされますと答えた。どうしてこれが、この自分に、出来るのだ、と夢の中でつぶやくと、汗は噴出す、金縛りは来る。その時にはとにかく身をよじっても寝床からひきはがし、台所に出て水を吞む。それできれいにおさまる。実際の手術の最中にそんなことを思ったことは一度もないと言う。

それほどに、「出来る」と「出来ない」との間には、むずかしい事情があるようだ。「出来る」ようになった後まで、「出来ない」は、過去の形で言っても同じこと、存続する。

一方、「出来る」ということにもまた事情があり、日に百度も、熟する間もなく、人の動きの組立ての上から落ちて、地面に跳ねて墓石にあたるという。しくじりと言うよりも、これが「出来る」の実相であるらしい。曲芸の職人が、いくら若くて未熟でも、そんなにのべつしくじるわけがない。あくまでも、内の欲求から見たことだと思われる。つねに、成就から逃げられる。

「過小」とある脇に「できない」と、「過多」とある脇に「できる」と、それぞれルビを振ろうかとも思うが、やめておこう。

ライナー・マリア・リルケの「ドゥイノの悲歌」の、第五歌を訳すことになった。

＊

あれは一体、何者たちだ。あの旅の者たち、われわれよりもすこしばかり迅速に発つ者たちは。朝からしきりに、誰の、誰の歓心を買おうとしてか、一向に満足することのない意志に、身を絞らせるとは。飽くことを知らぬ何かの意志が彼らを絞り、撓《たわ》め、結んで輪をこしらえ、振り回し、放り上げてはまた摑み取る。油を塗った宙を滑るように彼らは落ちかかり、際限もなく繰り返される跳躍のために磨り減って薄くなった、天涯孤独の敷物の上に降りる。場末の空がそこの地面を傷つけたかのように、膏薬のように貼りついたその上に。さてそこにすっくりと、見物の目を集めて、頭《かしら》の大文字よろしく、立ったかと思う間もなく、この屈強な男たちを、またも始まるお次の出し物が摑み取って、余興にくるくると巻きあげにかかる。道化の力持ちが食卓に就くや錫のお皿をまるめてしまうのに変わりない。

ああ、これを中心に囲んで見物の薔薇が、咲いては散る。その中で足を踏み鳴らして踊る男もまた、自家の花粉ならぬ砂埃の散るのを受ける雌蕊、意識されることもない索漠の、見せかけの果実を孕む。ごく薄い表皮を輝かせて、見せかけの微笑を軽く浮かべる索漠の。

そちらに見えるのは、萎《しぼ》んで皺ばんだ重量挙げ、老いては太鼓を叩くばかりの役目。往年は隆々と張っていた皮膚の下で痩せこけてしまって、まるで昔は二人の男をまとめて包んでいたのに、その一人がとうにお墓に入って、この年寄りだけが残されたように、連れを亡くして淋しそうな皺肌を垂らして、耳は魯鈍、調子もときおりすこし狂っている。

若いのもいる、猪首男と尼さんの間に生まれた息子のような。はちきれんばかりの筋肉と、あふれんばかりの純朴さ。

ああ、君ら、まだわずかなものだった人生苦に、玩具として見こまれてしまった者たち、長い時をかけて傷口の塞がるその間に。

君はまた、落ちる果実だけが知っているような音を響かせて、熟す間もなく、日に百度も、共同の動きの組立てから成る樹木の、噴水よりも速く、見る間に春となり夏となり秋となるその上から落ちて、跳ねて墓石にあたる。時には半呼吸ほどの静止の中から、愛らしい表情が君の顔に現われかけ、めったに優しくはしてくれぬ母親のほうを眺めやるが、おずおずと試みたその顔つきも、まだ皮膚のうちに君の肉体に喰われて、失われてしまう。また親方が跳躍の助走の弾みに手を鳴らす。そしてひたすら逸《はや》る心臓の脇で心の痛みがひときわくっきりとなるその前に、その心に、痛みの源であるはずの心に先んじて、足の裏に焼けるような熱が走る。さっと目に差す、これも肉体の、少々の涙とともに。それでも、やみくもに、微笑んでみせる。

天使よ、これを受けろ、これを摘め、このささやかな花をつける野の草を。花瓶をあつらえて、これを活けろ。われわれにはまだつまびらかでない喜悦のひとつに、これを加えよ。これを賞讃して可憐な壺に鮮やかな花文字で記せ。「踊り手の微笑」と。

お次は君か、可憐な娘、心の底までときめかす歓びのどれにも、黙って頭の上を飛び越されてしまった様子の娘よ、君にとってさぞや、衣裳の房飾りは、お気に召したことだろう。あるいは若い張りきった胸にぴったりついた緑の光沢の絹は、限りなく甘やかされた感触を伝えて、何ひとつ足らぬところはない。君は、平衡を求めて揺れる秤の、あらゆる秤の上にそのつど違った置き方で載せられる市場の果物、無感動の果実、のぞきこむ客たちの肩の下にあって、公衆の面前にさらされ。

何処にあるのか、ああ、そんな技を彼らがまだひさしく出来ずにいたその昔は。私は自分のそれを胸の内に抱えて運び回っているが、彼らにとっては何処にあるのだ。交尾《つが》いのかなわぬ不全な番いのようにお互いを捉えぞこねて地に落ちたその昔は。身体《からだ》はまだ重く、徒らに回る棒の先で皿はよろけた、その処は。

それがいきなり、その難儀な、何処ともない処にいきなり、いわく言いがたい境が生じて、そこで純粋な過小が不可解にもその正反対のものへ、あの空虚な過多へ一気に転ずる。そして桁の多い計算が、算えるまでもなく解ける。

そこかしこ、際限もなく見世物市を立てるパリの広場よ。そこでは服飾デザイナーの、マダム・ラ・モールが、地を這う騒がしき路という路を、尽きることのないテープとして輪を結び、捻《ひね》りをかけ、そこから斬新なリボンを、襞飾りを、花を、紋章を、すべて紛《まが》いの色に染めた人造の果実を編み出してくれる。手頃なお値段の冬の帽子の、運命の帽子の、お飾りに。

天使よ、われわれのまだ知らぬ広場がどこかにありはしないか。そこでは言葉に尽くせぬ惨憺たる敷物の上で、愛しあう二人が、ここの広場では成就にまで至らぬ曲芸を見せて、大胆に高く揚がる心の跳《おど》りの形を、歓びから成る櫓《やぐら》を、とうに地面を踏まず互いに重みをあずけることによってのみ保持される梯子を、顫えながら立てる。そしてついに、それが、出来る。いつか音もなく忍び寄った無数の死者たちの、取り巻いて見まもるその中で。

そのとき死者たちは、それぞれなけなしの、つねに取って置いた、つねに隠し持った、われわれの見たこともない、永遠に通用する幸福の硬貨を、ようやく鎮まった敷物の上に立ってついに真実の微笑みを浮かべる二人の前へ、一斉に投げ出すのではないか。

＊

曲芸の詩である。訳文はひきつづき鈍重である。徒らに揺する言葉の先で、皿は笑い出す間もなく、落ちかかる。あわてて手で押さえる。

すぐれた詩には、ことさら巧んだわけでもなかろうが、読者を気持よく、誤読の早瀬へ誘いこむところがある。読者のほうとしても、これに用心して身構えるようでは、詩の趣きに添えない。誘いには乗るものだ。ただし、誤読の瀬から、動作魯鈍ながら、ぎりぎりの間合いで、手近の見映えのしない岸へ、とにかく飛び移らなくてはならない。読むのも曲芸のうちらしい。

21　ドゥイノ・エレギー訳文 6

英雄という言葉に触れれば、現代の人間としてやはり、つい溜息が洩れる。八十年ほど昔からの声である。これを翻訳で初めて読んだはずの私の青年期から数えれば、わずか三十何年前になる。英雄的に始まったという第一次大戦は非英雄的に終っている。大戦中の戦死者よりも、大戦の末年に世界にひろがった流行性感冒による死者の数のほうがまさったそうだ。さらにそれ以降の、被虐殺者の数は比べものにならぬほど大量になる。

しかしこの詩の英雄は開花を忌む。開花の誘惑に応えない。結実への衝動に駆られて開花の閑を見ない。やがて自身の危険を象る異相の星座の中へ踏み入るが、そこに彼を見つけ出す者はまれだという。余人には闇の沈黙にほかならない。その押し黙ったものがやがて高揚して運命の声となり、とは私は取らなかった。ひきつづき沈黙したまま運命が高揚する、と聞いた。伝わって来るものと言って、暗くこもった声音の影ほどのものが「わたし」を一気に突き抜けるばかりらしい。遠い宇宙での人知れぬ破裂に似ている。母親の胎という深淵に、将来の息子の犠牲者となる女性たちの、すでに断崖から墜ちて行ったその爪跡のようなものを見る。息子自身の墜落の跡とまでひろげれば、今も昔もさまざま思いあたる節はありそうだ。

無花果の結実から起こして、この母胎の深淵まで来ると、いささか凄味もある。おのずと諧謔味がないでもない。

ライナー・マリア・リルケの「ドゥイノの悲歌」の、第六歌になる。リルケもまた、第一次大戦の勃発時には、黙示録風の詩を書いていたはずだ。

＊

無花果《いちじく》の樹よ、すでにいかにひさしく、わたしはお前の結実を意味深く眺めたことか。お前は開花を無きにひとしく通り越して、早目に意を決した果実の中へ、人の賞讃の眼を惹くこともなく、お前の純粋な秘密を追い込む。噴水をひとたび地下へ導く管のように、たわむ枝々は樹液を下へ末端へ押しやり、やがて樹液は眠りから、覚めるともなく、もっとも甘美な成果の、喜悦となり一気にふくらむ。まさに、大神ゼウスが白鳥へ化するように。

ひきかえ、われわれは留滞する。哀しいかな、花咲くことを誉《ほまれ》として、時期に遅れた生涯の結実の内部へ、自身も思わぬうちに、行き着くことになる。わずかな者たちだけが行動への衝動の押しあげるその強さのあまり、たとえ開花の誘惑がやわらいだ夜の大気のように若き唇の血を、そして瞼を撫でようと、すでに堪えてひたすら心の充溢に赤熱する。英雄たちがおそらくそうだ。そして、死という庭師にその血管を常人とは別様に矯められて、夭折へ定められた者たちも。夭折の者たちは疾駆して去る。あたかもエジプトの神殿《カルナック》の、やわらかに窪んだ壁画の中の、戦車に繋がれた馬たちが勝利の王の先に立って逸《はや》るように、おのれの微笑の先に立って奔る。

しかし英雄も驚くほどに、夭折の者たちに近い。持続は彼の思いわずらうところでない。彼にあっては上昇こそ存在なのだ。絶えず彼は自身をひきさらい、やがて彼の常なる危険を象《かたど》る変容した星座の中へ踏み入る。そこに彼を見る者はまれだ。しかし、われわれには闇の沈黙でしかないままに、突如として高揚する運命が彼を歌いあげて、騒ぎ立つ彼の世界の嵐の中へ彼を投げ込む。彼のような聞こえ方のする者を、わたしはほかに知らない。暗くこもった彼の声音が、寄せる大気とともに、わたしの中を一気に突き抜ける。

この上は、焦《こが》れ出る心から、いかに匿まわれてありたいことか。ああ、子供でありたい、子供となることをなお許されてありたい。子供となり未来の太腕に頭をもたせかけて坐りこみ、サムソンの物語を読んでいたい。サムソンの母親が不産《うまず》の身でありながら、すべてにひとしい者を産むことになったその話を。

彼はあなたの胎内にあった時からすでに、母親よ、英雄ではなかったか。あなたの胎内ですでに、不羈の選択を始めてはいなかったか。数千もの資質が母胎の内で沸き返り、サムソンとなろうとした。しかし、見るがよい、彼はあるいは摑み取り、あるいは捨て去り、選んだ。そしてそれがすでに出来たのだ。神殿の柱を彼が押し倒したのも、ほかならず、彼があなたの胎内の世界から、より限られた外の世界へ飛び出して、そこでさらに選び続け、またそれが出来たからだ。おお、英雄の母親たち、すべてをひきさらう大流の、源泉たる母たちよ。あなたたちはまた深い谷だ。すでにその淵へ、心の断崖から、悲嘆の声とともに、若い娘たちの墜ちて行った跡が見える。先々、息子に捧げられる犠牲者が。

というのも、英雄は愛という旅宿を突き抜けて押し流れる。どの宿りも、彼に思いを寄せるどの心臓の鼓動も、彼をたちまちまた発たせる。すでに背を向けて、彼は尽きかけた微笑の涯《はて》に立つ。異った者となり。

＊

訳し終えた後で、リルケは無花果の実の成るところを、長年の間、ずいぶん憂鬱な気持で眺めてきたのではないか、とふと思ったものだ。花を表へ咲かせないとなれば、闇から闇への結実になる。これをほめたたえるには、さすがに歳月がかかったのではないか。無花果の実の甘美さはやはりオレンジやリンゴのそれとは一緒にできない。しかし隠れた開花だけに、よけいに濃密な雌雄の融合がなされた、というようなエロティシズムがこの詩人にあったかどうかは、私にはまだ感じ分けられない。

自分の息のある内に、第十歌まで済ませてくれるのか、と高年の方から心配を寄せて頂いたそうだが、私も自身のことを、なにせ年に三篇の運びなので、むこう二年近く、息が持つのかと心配している。ふいに止めてしまうこともありそうに思える。自分の徒労に見切りをつける時である。無花果どころか無果になるが、その時には無花果の樹を見あげて、どこか自分の作品の枝の末端あたりに実のひとつぐらい成っているだろう、と果敢なさを慰めることにする。

22　ドゥイノ・エレギー訳文 7

よくよく見知ったはずの市街の風景が、見知らぬものに映ってくることがある。年を取るにつれてそのようなことが頻《しき》りになるようだ。変化の烈しい大都市に暮していれば是非もないと観念している。それにしても、たとえばそこが往年自分のよく通った界隈であって、かりにそこに三十年昔の自分が今に現われ立ち止まって見渡したとしたら、あたりの風景は一瞬の異夢か、由来の知れぬ既知感《デジャ・ヴュ》のようになって崩れ去るかもしれない、と想像するとあまり気味の良いものではない。

いずれ何処にも、世界は存在しなくなるだろう、内側においてのほかは、と詩の内にあるのを、内面性の称揚と安直に取るべきではない。これも歎きである。新しい建造物の、《あたかもなお頭脳の内に留まっているかに見える》のと、平行である。あるいは、それに追いつめられたものだ。

リルケの暮した、あるいは滞在した諸都市を思えば、われわれにとっては十分に堅固で、十分に持続的に見えるが、しかし一八七五年というリルケの生年から数えれば、ヨーロッパの主要都市の大改造の成ったのはたかだか数十年前のことになる。今の私とこの国の敗戦の年との隔たりほどもない。その新改造都市が、伝統を踏まえる感覚にとっては、いかに機能剝き出しに、間違いのように、気味の悪いものに、眩暈や嘔吐を誘い出しそうに見えたか、ウィーンのホフマンスタールが伝えている。ラフカディオ・ハーンが亡くなった際に、追悼の小文を雑誌に寄せて、その中で明治の東京と大阪の情景にも触れた、そんな時代の人である。カフカも彼の少年期にあたる都市改造の、その後のプラハを、自分の知らぬ街のように言っている。

もはや求めであってはならない、声よ、お前の叫びの自然は。これが、約《つづ》めたところ、詩の冒頭である。しかし叫びあるいは呼びかけの自然は求めであることを考えると、これ自体無理な要請、つまり難題である。はたして叫びは求めとなり、春の野から夏の野へ、朝から夜へ渡っていく。

成長して飛び立つ声とあるのを、訳者《わたし》は若い頃から「巣立ち」と取っていたが、今ではそう読めなかった。「ドゥイノの悲歌」が完結したのは一九二二年、リルケの四十七歳の時と伝えられる。亡くなる四年前にあたる。晩年の声であるはずだが、さしあたり揚がるのはやはり青年の声である。その声とともに心が季節の野を渡る、のではなく、晩年の危惧が声の行く方を追っている、とそう読んだ。

声は野を抜けて死者たちの間に入り、その存在に満たされ沈黙の中に落着きどころを見出すかと思えば、ほとんどいきなり現代の都市の、解体の——解・形態の——只中に立ち、そこで晩年がようやく声に追いついたように、ともに激昂する。

「ドゥイノの悲歌」の、第七歌となる。

＊

求めであっては、もはや求めであってはならない、年長《とした》けて飛び立つ声よ、お前の叫びの自然は。それでもお前は鳥のように純粋に叫ぶのだろう。季節が、上昇する季節が鳥を揚げ、それがひよわな鳥であることも、ただひとつの心ばかりを晴朗な大気へ、穏和な天へ投げ上げたのではないことも、ほとんど忘れているその時に。鳥に変わらず、鳥に劣らず、お前はやはり求めることになるのか。そしてどこかで、姿はまだ見えず、未来の恋人が、寡黙な女人がお前を聞き取り、その胸の内にひとつの答えがおもむろに目覚め、耳を傾けながら答えは温もり、やがてお前の思いきり高まった感情を、女人の熱した感情が迎える、と期待して。

そして春もまた聞き取るだろう。告げる声を受けてまた先へ伝えぬ所はひとつとしてないのだ。まず初めに小声の物問いの叫びは、つれて深まるあたりの静まりの中で、すべてを肯定する清新な朝がこれをはるばると沈黙につつんで運ぶ。さらに階梯を、叫びの階梯を踏んで昇り、夢に見た未来の神殿にまで至ろうとして、そこで顫声《トリル》に変わり、たえず先を約束する動きの中で上昇の極まる前にすでに落ちかかる噴水の、その声にひとしく顫える。すると目の前に、夏がある。

昼へ移りつつ一日の始まりに輝く夏の朝という朝。さらには、花のまわりにはやさしく、壮健な樹冠のまわりでは強く烈しく照る白昼。さらには、これら繰りひろげられた力の敬虔な黙想、夕の道に夕の野、遅い夕立の後で安堵の息を吐いて澄み渡る大気。近づく眠りと、今宵はとふくらむ予感。そればかりか、夜々もある。高く晴れあがった夏の夜々。そして星、地から挙げられた星々。ああ、いつか死者となり、すべての星々の心を限りなく知りたいものだ。どうして、どうして星たちのことを忘れられるだろうか。

いかにも、わたしは愛に生きた女性を呼んだ。しかし呼ばれて、ひとりだけが来るわけはない。貧しい墓の中から若い娘たちも来てそこに立つはずだ。呼んだからには、その声の届く先をどうして限ることができるだろうか。没した者たちはいまでもなおこの世を求めているのだ。さて、夭逝の子たちよ、この世でただ一度摑んだものは、多くの体験と同等なのではないか。運命を幼少期の凝縮以上のものと思わぬがよい。君たちはしばしば恋する相手をも追い越したではないか。至福の疾駆を求める息となり、無へ向かって、開かれた境へ翔け抜けようとして。

この世にあったということは、大したことであるのだ。君たちはそのことを知っていた、娘たちよ、窮乏のうちに没したかに見える君たちも。そこかしこの都市の、最悪の裏町にあって、吹出物に覆われ、汚物からも隔てられていなかった君たちこそ。彼女たちの誰にとっても、存在と言えるものを持ったのは、生涯にわずか一時間、おそらくまる一時間にも足らず、時間の尺度では測れぬ、時間と時間とのはざまほどの間にすぎなかった。そこにすべてが、存在に満ちた血脈が集まったのだ。ただしわれわれは、隣人が微笑みながらしかし請け合ってはくれなかったことを、あるいは妬んで言わずにおいたことを、とかく忘れる。この上もなく明らかなはずの幸福がそれでも、われわれがそれを内で変化させるのを待ってようやく、われわれの前にあらわれる、その機を明らかに挙げて示そうではないか。

いずれ何処にも、友よ、世界は存在しなくなるだろう、内側においてのほかは。われわれの生は変転しながら過ぎて行く。つれて外側はいよいよ細くなり消えて行く。かつては一軒の持続する家屋のあったところに、今では人に考え出された造形ばかりが露呈して、間違いのように、考案の領域にもろに属して、あたかもなお頭脳の内に留まっているかに見える。時代の精神はおのれがあらゆるものから獲得した切迫の衝動と、おのれもひとしく形姿を欠いて、動力を溜めこむための広大な倉庫は造営するが、神殿をもはや知らない。神殿という、この心の贅をわれわれはいよいよ内密なものへ切り詰めつつある。それればかりか、ひとつの記念碑が、かつて人の祈った、人の仕えた、人の跪いた建造物が生き残ったとしても、それもすでに、その現にあるがままに、目には見えぬものの中へ傾きつつある。多くの人間たちにはそれがもう見えない。また、見えぬ甲斐もない。見えぬかわりに、これをいまや内側に建て、石柱や石像ともども、さらに高く立たせるということもないのだ。

世界のなしくずしの反転はかならずこのような、資産を奪われた者たちを吐き出す。彼らにとっては、昔日はおろか、間近にあるものも所有とはならない。間近のものすら人間たちにとって遠くなるのだ。われわれはしかし、それに昏迷させられてはならない。われわれのまだ知る形姿というものを、さらにしっかりと内に保持しよう。これこそかつて人間たちのあいだに立ったものだ。運命の、滅ぼしにかかるその只中に立った。行方も知れぬ危機の中に変わらず立ち、揺ぎもない天から星々を捥ぎ取った。天使よ、これをわたしはあなたに示そう。さあ、これだ。あなたの見つめる眼の内にこれがついに救い取られて、いまやすっくと立つように。エジプトの石柱が、塔門《パイロン》が、スフィンクスが、そして滅び行く都市から、あるいはすでに人に知られぬその廃墟から、天を衝く円蓋《ドーム》の、一心の迫りあがりも。

これは奇蹟ではなかったか。驚歎せよ、天使よ。おお、丈《たけ》高き者よ、われわれにこれほどの事が出来たことを、語りひろめよ。わたしの息ではこれを賞賛するに足りない。それでもわれわれの証しであり、われわれのものである空間を、なおざりに失わせては来なかった。幾千年の歳月もの間われわれの感情によってこれを満たしきれずにいるとは、何と巨大な空間であることか。しかし一個の塔も大きかった。そうではないか、おお、天使よ、あなたに並べて見ても、丈高くはなかったか。シャルトルの聖堂も大きかった。まして音楽はさらに遠くまで及んで、われわれを超越した。しかしまた一個の愛する女性ですら、ひとり窓辺に寄って、あなたの膝の高さにも届かなかっただろうか。

わたしが求めているとは、思ってくれるな。

天使よ、かりにわたしが求めていてもだ。あなたは来はしない。というのも、わたしの呼びかけはつねに、「退《さが》れ」の狂おしさに満ちている。そのような烈しい流れに逆らってあなたは近づけるものではない。いっぱいに差し伸べた腕に、わたしの叫びは似ている。しかも、摑みかからんばかりにひろげた手は、あなたの前に迫っても、ひらいたままなのだ。防禦と警告の手のように、いよいよ捉えがたく、さらに高く突きあげられ。

＊

ところで、「ドゥイノの悲歌」の呼びかける天使とは、どんな姿をしたものなのか、いまさら尋ねたくなる。

第一歌には、あらゆる天使は恐ろしい、とある。美しきものは恐ろしきものの、ここまではまだわれわれに堪えられる発端だという。人が美しきものを称讃するのは、それが人を滅ぼしもせずに打ち棄ててかえりみぬ、その限りのことだという。

第二歌の冒頭でも、あらゆる天使は恐ろしい、と繰り返される。人の命を奪いかねぬ鳥たち、と呼びかける。黎明に生まれ合わせ、天地創造の恵みをありあまるほどに享けた寵児たち、万物の尾根、曙光に染まる稜線、などとも呼んだ。渦巻きのごとくおのれの内から流出させ、また渦巻きのごとくおのれの内へ吸い納める者であるらしい。ラファエルの故事が振り返られ、その往時と異って危険なものとなった首天使とあるので、ガブリエルやミカエルも連想され、ミカエルなどもずいぶん恐ろしい天使だが、しかしこの第七歌が仕舞いのほうで、古代エジプトの石柱や塔門や、スフィンクスなどを突きつけるところを見れば、もっと古い天使のようだ。

あとは自身にとっても参考になりそうにないが、連想するままにしばらく並べて見る。まず智天使と訳されるケルビム、幕屋にあっては十戒の櫃の護りであり、アダムとイヴを楽園から追放した天使であるが、エゼキエル書では獅子と牡牛と鷲と人との四面をそなえ、四対の翼があり、身のまわりに炎があがり、稲妻が走るという。恐ろしい。その名はアッシリア渡りを想わせるそうだ。

つぎに熾天使と訳されるセラフィム、イザヤの召命の際に現われて、三対の翼を持ち、その叫びは聖所の敷居を揺がし、神殿は煙に満ち、ああ、わたしは失われた、とイザヤをして叫ばしめた後に、犠牲《いけにえ》の祭壇から採った灼熱の炭火をイザヤの唇にあてて口を浄めることになるが、このセラフィムというのは「火を吐く」という意味で、火を吐く蛇や龍を元来は指したという。これも恐ろしい。

龍ということから連想がまた横飛びするが、古代ギリシャのオルペウス教徒の天地開闢《コスモノギー》説のひとつを、後世の新プラトン派の哲学者が紹介したところでは、初めに水と土があり、その両者から生まれるのがクロノス、ゼウスの父のKronosではなくChronosつまり「時」であるが、これが龍であり、牡牛と獅子の頭と、中央に神の顔を持ち、肩から翼をはやしている。またの名をヘラクレースという。この龍のクロノスが上天《エーテル》と混沌《カオス》と暗黒《エレボス》とを生む。さらに世界の卵を生む。さらにまた肩に黄金の翼を持つ神を生む。相対立するものをひとつに結びつけるエロスと思われるのだが、これがまた両の脇腹から牡牛の頭をはやし、頭には龍を頂き、この龍が猛獣たちのあらゆる姿に似る……。

等々挙げて見ても「悲歌」の天使の姿は結ばれそうにもない。開闢の者たちはすべて恐ろしい、とあらためて驚くのがせいぜいのところだ。美しきものは恐ろしきものの発端だ、という言葉はやや違った響きを帯びてくる。美しきものの涯《はて》は恐怖であるとも、向きを変えれば言い換えられる。リルケの「悲歌」は開闢を逆の方向へたどっているのかもしれない。

人と思考が形態を失うにつれて、開闢も無限の際まで退くということか。

23　ドゥイノ・エレギー訳文　8

家の内で家の猫に、振り向かれる。たとえば深夜の廊下で。あるいは階段の途中から。耳が立ち、見知らぬ者を見る眼になる。その眼に見られたほうも、その刹那、見知らぬ者になる。誰が誰を、見知らなかったのか、と訝りが後に残る。

猫の振り返るのは人間の振り返るのと、剣客が背後に殺気を覚えた場合でもない限り、まるで違う、と言った人がある。その剣客にしても、気配に感ずるのは背中であり、振り向く前には背中の思案が挿まるのにひきかえ、猫の背は天を向いていて背後を察知するようにはできていない、と言う。背中で感じるとは人間は奇妙な動物だ、幽霊になっても背中に物を言わせやがる、と笑った。

たしかに、動物は人間ほどに眼にたよらない。前へ向いた眼に依存する不安から背中をことさらに張りつめる必要もない。大体、張りつめるような背中はないと言えば言える。鼻すじが背中へとおる蟾蜍、とは江戸時代の川柳の傑作であるが、大方の動物は人間よりもこのヒキガエルのほうに近い。あの川柳もじつは人体の滑稽さを笑ったものかもしれない。

かわりに動物には、聴覚、嗅覚、触覚などが人間よりもはるかに発達している。障害を飛越する馬は、踏切る間際まで接近した時には、身体の構造上、障害物がすでに視野の内に入らない。それでも確実に踏切って飛越するのは、それよりもだいぶ手前から、眼によらず、跳ね返って来る音により、あるいは「風覚」とでも呼ぶべきか、接近により惹き起こされる空気の流れの乱れにより、障害物を把握していることになる。手の前にあるとは、或る哲学者によれば、世界の初めになるそうだが、動物はそれをつねに全身で「見ている」わけだ。

猫も同様なら、背後から来る家の者の「そこに・ある」など、それが誰であり、どういうつもりであるかまで、とうに見えているはずだ。では、なぜ、振り向くのか。猫の姿に気がついた時に人間の内で、本人の意識を免れて一瞬起こる、何かの変化を感受したのではないか。振り向くのは猫にとってすでに行動の始まりであり、前を見ることのひとつである。

これにくらべて人間の振り向くのは思案――確認、認識、省察、追想などなど、何と呼ぼうと、たとえば「見返り峠」などというところで来し方をつくづく振り返る人間にとって、見ることと思うこととは、けっしてひとつにはならない。隙間風の吹く所以である。ライナー・マリア・リルケの「ドゥイノの悲歌」の、第八歌となる。

＊

あらゆる眼でもって、生き物はひらかれた前方を見ている。われわれ人間の眼だけがあたかも前方へ背を向け、しかも生き物のまわりに罠の檻となって降り、その出口をすっかり塞いでいるかのようだ。外に在るものを、われわれは動物のまなざしから知るばかりだ。というのも、子供の眼をまだ幼いうちからわれわれはすでにうしろに向かせ、形造られたものを振り返って見るよう、動物のまなざしの内にあのように深く湛えられたひらかれた前方を見ぬよう、強いているではないか。死から免れている動物。死を見るのはわれわれ人間だけだ。自由な動物はおのれの亡びをつねに背後に置いて去り、前方に見るものは神である。歩めば歩むままに永遠に入る。泉が流れるままに永遠に入るように。

われわれ、人間たちはわずか一日たりとも、純粋な時空を前にすることがない。花たちはその中へ絶えることもなく咲いては解けていくというのに。われわれの見るのはつねに世界であり、何処でもなくまた虚無でもない境がひらけることはけっしてない。この境こそ純粋な、誰にも見張られていない時空であり、呼吸されることにより限りもなく知られ、あながちに求めて得られるものではない。子供なら、人知れずそこへ惹きこまれて心を揺すられる者もある。いまどこかで命の終りに臨む者は、この時空にひとしい。死に近づけば人はもはや死を見ず、その彼方を凝視する、おそらく、大きく見ひらいた動物の眼で。恋する女たちも、対者《あいて》が視界を塞ぐことさえなければ、この境に近づいて驚嘆するのだが。間違いから生じたように、対者の背後から、ひらけるものがあるはずなのだが。しかし対者を超えてさらに先へ到る者はなく、見えるのはまた世界ばかりになる。被造物へつねに眼を向けさせられながらわれわれはただ、自由なものの鏡像、しかもわれわれの眼によって曇らされた像を見る。物言わぬ動物こそ、われわれを見上げながら、われわれを突き抜けて、その彼方を静かな眼で見る。まともに向かう、そのほかのことはなくて、つねにまともに向かう、これが運命というものだ。

確かな天性に導かれて、われわれとは異った向きを取りわれわれに近づく動物に、もしも人間と同じ質の意識があるとすれば――。通り過ぎるその歩みによって、われわれをはっと振り向かせはした。しかし動物にあってはその存在は無限であり、摑めぬものであり、おのれの状態を顧る眼を持たず、純粋なること、そのまなざしにひとしい。われわれが未来を見るところで、動物は万有を見る、万有の内におのれを見る、そして永劫に救われている。

それでも、鋭敏な温血の動物の内には深い憂愁の、重荷と不安がある。温血の動物にも、われわれをとかく押しひしぐところの、記憶が絶えずまつわりつく。心の求めて止まぬものがじつはすでにひとたび、より近くにあって、より親しく、自身も限りなく濃やかに寄り添っていたかのように。ここではすべてが距離であるのにひきかえ、かしこではすべてが呼吸であった。初めの故郷を見た後の心には、次の故郷は半端で空虚に思われる。自然の母胎の内に、懐胎された時のままにひきつづき留まる、微小の生き物こそさいわいだ。合歓の日に及んでも、なお内部で躍る羽虫こそめでたい。母胎は万有なのだ。これにくらべて鳥の、その素性からして毛物と羽虫の双方の心を知る、中途の安心を見ればよい。あたかも古代エトルリアの墳墓の、すでに万有に受け取られながら、生前の安息の姿を棺の蓋に留める死者から、飛び立った魂のようではないか。

一体の母胎に帰属する者の、飛び立たなくてはならぬそのありさまは周章に似る。われとわが飛行に驚愕させられたように、宙を裂いて翔ける。茶碗を罅が走るように。同様に蝙蝠のひらめく跡も、夕暮の掛ける釉薬の肌に亀裂を縦横に引く。

ましてわれわれは脇から眺める者であり、つねに、至るところで、あらゆるものに眼を向けながら、突き抜けて見ることがない。見た物は溢れるばかりに内に満ちる。われわれはそれを束《つか》ねる。それは崩れ落ちる。また束ねなおす。すると自身が崩れ落ちる。

それでは初めに誰がわれわれをうしろへ向かせたので、以来、立ち去る客の、あの習いがわれわれの身に付いたのか。古里を去る者は、親んだ谷を最後にいま一度残りなく見渡す丘の上まで来ると振り返り、足を停めてしばし佇む。まさにそのようにわれわれは生きて、絶えず別離を繰り返す。

*

動物が老いて行く。老病死の境へ、日常と変わらぬ足取りで踏み入って行く。路地を抜けるのとさほどの違いもない。それを見れば、振り向くのは人間ばかりだとは、やはり当たっているかと思われる。その人間にも振り向けぬ状態はある。仰臥の時である。ところが仰臥の時こそ人は振り返る。眠れば夢を見る。夢もまた振り返りである。期待と危疑の夢も未来へ掛けながら過去の、すでに実現の、既視の雰囲気に濃く満たされる。希求法は過去の時制から派生する。夢に限らず予兆も記憶と想起、忘れられた過去の認識あるいは熟知の、前へ回りこんだものだ。

動物は前へ向いて鳴く。人間は本来、どうなのか。

24　ドゥイノ・エレギー訳文　9

　無責任に聞こえるだろうが、訳してしまってから、あれは一体、何だったのだろう、と振り返る。訳したその分だけ、よけいに不可解になる。苦労して訳すほど、後の索漠はまさるようだ。

　訳すということは、原文を一度死なせることになりはしないか、と思われることもある。死して後、甦えるかどうかは、おぼつかない。こんなことを聞かされては、読むほうこそ索漠とするに違いない。

　訳文もまた、難所にかかれば、跳ばなくてはならない。出来るかぎりは細心に、気合もこめて跳ぶ。しかしどんなに跳越の姿勢と軌道を制御しても、哀しいかな、着地がいずれ、ずれる。少々の誤差がどうかすると、大きな差違となる。もともと、すぐれた詩文は、節々でほかの言葉による正確な着地を許さないように出来ているものらしい。ライナー・マリア・リルケの「ドゥイノの悲歌」の、第九歌となる。

＊

何故だ。もしも命の残りを月桂樹《ダフネー》のように、ほかの緑よりはいくらか暗く繁り、葉の端端を風の笑みのように顫わせ、そのようにして過ごすこともなるものなら、何故、人として生きなくてはならないのか、そして運命を避けながら、運命を追い求めるのか。

近づく亡失を性急に引き受けて、先取りの境地を幸いとする故ではないのだ。知れぬものをあながちに知ろうとする故でもなく、あるいは心の覚悟の為でもない。心なら月桂樹の内にも残るだろう。

そうではなくて、この世にあるということは多大のことであり、しかも、この世にあるものはすべて、どうやらわれわれを必要としているが故にだ。この消え行く定めのものが、奇妙にも、われわれに掛かる。もっともはかなく消えて行くこのわれわれに。すべてのものはたった一度、一度限りだ。一度限りで、それきり還らない。われわれも一度限り、二度とはない。しかし一度限りであっても、その一度であったということ、この世のものであったということは、撤回の出来ぬことであると見える。

それ故にわれわれは身を励まして、一度限りを果たそうとする。これをつましい素手の内に、さらに溢れんばかりの眼の内に、物言わぬ心の内に、保とうとする。一度限りに、成ろうとする。誰にこれを渡すのか。すべてを永遠に留めるのはいかにも望ましいところだが、しかし彼岸の、異なった関連の中へ、哀しいかな、何を持ち越せるというのか。この世のさまざまをおもむろに学び取った観察も、この世で起った出来事も、何ひとつとして持ち越せはしない。それではもろもろの苦をか。何よりも、憂いの人生をか。愛をめぐる長い体験をか。つまりは言葉によってはまったく語れぬものをか。しかし後になり、星々の間に至って、それが何になる。星たちのほうがすぐれて、言葉によっては語れぬ者たちなのだ。たとえば旅人も山の稜線の斜面から一摑みの土を、これも万人にとって言葉によっては語れぬものであっても、谷へ持って降りはしない。記念に携えるのは摘み取った言葉、無垢の言葉、青や黄の龍胆《りんどう》ではないか。われわれがこの世にあるのは、おそらく、言葉によって語る為だ。家があった、橋があった、泉があった、門が、壺が、果樹が、窓があったと。せいぜいが、石柱があった、塔があった、と。しかし心得てほしい。われわれの語るところは、物たち自身が内々、おのれのことをそう思っているだろうところとは、けっして同じではないのだ。恋人たちの心に迫って、その情感の中で何もかもがこの世ならぬ恍惚の相をあらわすように仕向けるのも、滅多には語らぬ現世の、ひそかなたくらみではないのか。敷居はある。たとえ恋人たちがそれぞれ昔からある自家《いえ》の戸口の敷居をいささか、踰えることによって擦り減らしたところで、二人にとって何ほどのことになる。以前の大勢の恋人たちに後《おく》れて、以後の恋人たちに先立って、自身も痕跡を遺すだけのことではないのか、かすかに。

ここは、この世は言葉によって語れるものの時であり、その古里なのだ。とは言え、心の秘密を打明けてみるがよい。常にもまして事柄が、体験に掛かる事柄が、落ちて行くではないか。事柄を追いやりそれに取って代わるのは、表象を受けつけぬ、行為であるのだ。外殻を下から突きあげる行為であり、内で行動がひとり立ちに育って別の輪郭を取るやいなや、外殻はわれわれから粉々に飛び散る。鎚と鎚との間にあって、われわれの心は存続する。同様に、舌は歯と歯の間にあってそれでも、それでもなお賞賛しつづける者であるのだ。

天使に向かってこの世界を賞賛しろ。言葉によっては語れぬ世界をではない。壮大なものを感じ取ったとしても、天使にたいしては誇れるものではない。万有にあっては、より繊細に感受する天使に較べれば、お前は新参者でしかない。単純なものを天使に示せ。世代から世代へわたって形造られ、われわれの所産として、手もとに眼の内に生きるものを。物のことを天使に語れ。天使はむしろ驚嘆して立ち停ることだろう。お前がいつかローマの縄綯《なわな》いのもとに、ナイルの壺造りのもとに足を停めたように。天使に示せ、ひとつの物がいかに幸いになりうるか、汚濁をのがれてわれわれのものになりうるかを。悲嘆してやまぬ苦悩すらいかに澄んで形態《かたち》に服することに意を決し、物として仕える、あるいは物の内へ歿することか。その時、彼方から伴う楽の音も陶然として引いて行く。この亡びることからして生きる物たちのことをつぶさに知り、これをたたえることだ。無常の者として物たちはひとつの救いをわれわれに憑《たの》むのだ、無常も無常のわれわれに。目には見えぬ心の内で物たちを完全に変化させようではないか。これはわれわれの務め、われわれの内で、ああ、はてしのない務めだ。われわれが結局、何者であろうと。

現世よ、お前の求めるところはほかならぬ、目には見えぬものとなって、われわれの内に甦えることではないのか。いつかは目に見えぬものとなること、それがお前の夢ではないか。現世であり、しかも目に見えぬものに。この変身を求めるのではないとしたら、お前の切々とした嘱《たの》みは何であるのか。現世よ、親愛なる者よ、わたしは引き受けた。安心してくれ、わたしをこの務めにつなぎとめるには、お前の春をこれ以上重ねる必要はおそらくないだろう。一度の、ああ、たった一度の春だけで開花には十分に過ぎる。名もなき者となってわたしはお前に就くことに決心した、遠くからであっても。お前は常に正しかった。そしてお前の聖なる着想は、内密の死であるのだ。

このとおり、わたしは生きている。何処から来る命か。幼年期も未来も細くはならない。数知れぬ人生が心の内に湧き出る。

＊

なぜ、人として生きなくてはならないのか、と問う。この世のものが人を必要としているからだ、と言う。しかしこの世での矚目も体験も彼方の関連の中へ持ち越せはしないと突き放す。その意味では徒労ということになる。言葉もこの点では徒労のはずだ。ところが、人は言葉によって語るためにこの世にあり、この世は言葉によって語れるものの時であり、その古里である、と言う。天使に向かっては、人の所産の、物を示せ、と言う。

ここまでは、読む者もついて行ける。しかし現世を人の内で、目に見えぬものに変化させるとは、それこそ現世が人に託したことだとは、かりにこの目に見えぬものを、草木も悉皆そなえるという「仏性」になずらえるなら、「仏性」へ変化すべきは人のほうであり、草木すら「成仏」をいまさら人に憑みはしない、とわれわれにはこだわられるところだが――おそらく、語る、言うは、われわれの思うよりも、行為として踏まえられているのだろう。犠牲という観念もひそんでいることか。あるいは、目に見えぬものとして甦えらせるとは、結局、音楽のようなものとして、なのではないか。

お前の春をこれ以上重ねる必要はおそらくないだろう、という言葉は染みる。

25 ドゥイノ・エレギー訳文 10

清潔に寂《さび》れた教会は日曜日の郵便局に似ている、と詩の内にある。その郵便局もこの詩の百年足らず前までは都市の要所のひとつであり、鉄道以前の駅であり、あるいは日曜の暮れ方にも馬車が発着して、悲歎と苦悩、忍従と憤怒、憂愁と歓喜の、光景が繰りひろげられたのかもしれない。

それにもまして今の世に在りながらじつは廃《すた》れたものは、悲歎やら苦悩やら、憤怒やら憂愁やら歓喜やら、根源の情動を表わす言葉ではないか。すくなくとも小説の中では、これらの言葉は、まともには使えない。かわりに、それらの言葉で表わされるものの周辺の、微妙な生成や変化を仔細にたどる。あるいは諧謔により反転して打ち出す。しかしその「高度技術」の底には、そもそも言葉ではなくて人の情動の真正が失われつつあるのではないか、という疑いがつねにひそむ。

一九二二年に成り、二十世紀の「新しい文学」のすでにして精華のひとつに数えられた「ドゥイノの悲歌」が繊細な考察と比喩を重ねて来た末に、第十歌の大詰めに至って、アレゴリーの世界に踏み入ったとは、やはり驚きである。しかも虚飾の都市の巷を行く道々、詩人の諧謔は苦い哄笑に近くなり、澄んだ詩文から大道香具師の、広告の、売らんかなの叫びまで聞こえて、その年の市の喧騒の、最後の板囲いから郊外の寒々とした野原へ抜けるとまもなく、「歎き」の一族の少女が現われる。

読む分には心を惹かれもするが、訳すとなると困惑させられるところだ。訳者の言葉は、夭折の青年と違って、なかなかついて来てくれない。アレゴリーの心を、持ち合わせていないのだ。

＊

いつの日か、けわしい絶望の、その出口にまで至り、歓喜と賞賛を、うなずき迎える天使たちに向かって、歌い上げたいものだ。明快に叩く心の鍵《けん》の一弾も、弦が弛み、疑い、切れて、鳴り響かぬということがもはやあってはならない。願わくば、ほとばしる顔がわたしをさらに輝かせ、映えぬ涙も花開かんことを。その時には、夜よ、悲しむ夜たちよ、お前たちはわたしにとってどんなに、愛《いと》しい者となることか。わたしがお前たちを、悲歎に暮れる姉妹たちよ、より深く跪いて抱き取り、お前たちのほつれた髪の中へ、よりほどけて顔を埋めたことはこれまでになかったと振り返ることになるだろう。われわれ、苦悩の浪費者たち。いかにわれわれはどこまでも続く索漠とした道を見通しながら、それでも苦悩の尽きる涯《はて》がありはしないかと、仇な望みを掛けていることか。しかし苦悩こそわれわれの、冬場も枯れぬ葉であり、心の暗緑であり、内密なる一年《ひととせ》の一季節、いや、時ばかりでなく所、寓所であり、臥所であり、地所であり、居所であるのだ。

たしかに、哀しいかな、苦の都市の、小路を行けば、いかに無縁の土地に在る心地のすることか。耳を聾されたところから生じる偽の静寂の中で猛々しく、空虚という鋳型から鋳出された紛い物がおのれを誇示している。きんきらの鍍金《めっき》の殿賑に、はちきれんばかりに大仰な記念物《モニユメント》。どこぞの天使がこれを見たら跡形もなく踏み潰してくれよう、心の癒しを商う市場《マーケット》。その境を守る教会は、これも出来合いで買い取られて商人《あきんど》どもの所有、綺麗に片づいて、表を閉ざされ、なにやら所在ない様子は日曜日の郵便局に似ている。その外には年の市の、縄張りの境がくねくねと、襞を折り重ねて続く。自由のブランコに、熱心のダイヴァーと熱心の手品師。人の好む幸運を木偶《でく》に象った射的場。幸運は的をぶらさげて手足をばたつかせ、並みよりは器用な客が的に当てれば、ブリキの音を立ててお祝い申し上げる。喝采からまた僥倖をあてこんで人はよろけまわる。それも道理、ありとあらゆる新奇を売り物にする店が競って客を呼び込もうと、太鼓を鳴らし、がなり立てる。しかし大人にとって分けても見るべきものは、金《かね》がいかに増殖するか、その解剖図、ただの見てのお楽しみばかりでない。金の生殖器から始めて一切、全過程を通してつぶさに図解、受胎から出産まで。為になる。豊饒になる。

しかし、そこを越してすぐの所、最後の板囲いの裏手、表には「死の定め」なる銘柄の苦いビールの、苦いが目新しい気散《きさん》じをツマミに嚙むかぎり口あたりの甘いビールの、広告の貼りついたその板囲いのすぐ裏手から、すぐその背後から、現実は始まる。子供たちが遊ぶ、恋人たちが縋り合う。巷からはずれて、誰もが本気に、とぼしい草の中で。犬たちも自然を取り戻す。さらに遠くまで青年は惹かれていく。うら若い歎きを、「歎き」という少女を愛したようだ。少女の後について牧草地まで行く。遠いの、と少女は言う。わたしたちはここからまだずっと先に住んでいるの、と。

何処なの、とたずねて青年は後を追う。少女の物腰が青年の心を動かす。肩と言い、首すじと言い、高貴の家の出らしい。しかし青年はやがて足を停めて少女を行かせ、踵を返す。振り向いて、別れの眼を送る。どうなるものでもない。あの子は結局、歎きなのだから。

若い死者たちだけが、もはや時を知らぬ虚心とこの世の習いからの離脱という、死の始めの境にあって、少女の後を慕う。娘たちとは、少女は待ち受けて友達になる。身につけたものを娘たちにそっと教える。これら苦悩の真珠、この細糸で織りなしたのは忍従のヴェールと。少年とは、黙って歩みを進める。

しかし少女たちの住まう谷に入ると、歎きの一家の、少女の姉たちの一人が出迎え、夭折の青年を引き取ってその問いに答える。わたしたちは栄えた一族でした、昔はそうでした、わたしたち歎きは、と話す。祖先たちはあそこの広大な山地の中で鉱山を営んでいました、今でも人の家にあなたは時折、磨かれた原・苦悩の一片か、あるいは往古の火山から噴き出して溶岩となって固まった忿怒を見つけることがあるでしょう、あれはほかでもなくここから出たものなのです、わたしたちは豊かでした、と。

そして姉は青年を導いて歎きの邦の広い領地を足早に進み、往年の神殿の柱や、かつて歎きの王たちがそこに拠って領内を賢く治めた城郭の遺跡を見せた。さらには、生者の眼には穏かな繁りとしか映らないが、涙の大樹と憂愁の花咲く野を、草を食む哀しみの獣たちの群れを見せた。そして時折、一羽の鳥がいきなり静寂を破り、見あげる二人の視野を低く横切って、天涯に孤りあがる叫びの、読解へ誘う象形を遥かに曳いて飛び去る。日の暮れに姉は青年を、歎きの一族の古人たち、古代の巫女たちと警世の預言者たちの、墓所へ案内する。しかし夜が近づくにつれて二人の歩みはさらにひそやかになり、やがて月が昇るように宙に掛かるのは、すべてを見守る墓碑、かのナイル河岸に臥す者と兄弟になる崇高なスフィンクス。隠された墓室の、あらわれた顔。

そして二人は感嘆して王冠のごとき頭《かしら》を見あげる。物言わず人間の面《おもて》を星々の天秤へ永遠に掛けたその頭を。

青年の眼はまだ死者になったばかりの眩《くら》みに苦しんで、その頭を摑みかねている。しかし姉の眺めるその眼が、王者の頭巾の蔭から、棲みついた梟を追い出すと、梟はゆっくりとした筆の運びで頰の、あのいかにも豊満なふくらみに沿って舞い降り、改まった死者の聴覚の中へ、その二重に開かれた真っ白な頁を掠めて、言うに言われぬ絶妙な輪郭を柔らかな羽音で描き込む。

そしてその上空には星、新しい星たち。苦悩の国の星。それらの名を歎きの姉はゆっくりと教える。あれが、御覧なさい、騎手座、あれが杖座。そしてもっと豊かな星座を指差して、あれが果実の冠。それからさらに遠く、極のほうを指して、あれが揺籃、あれが道、あれが灼熱の書、そして人形、そして窓。とりわけ南の空に、祝福された掌につつまれたように清純な、くっきりと輝くMの字は、母親たちを表わす。

しかし死者はさらに先へ往かなくてはならない。歎きの姉は黙って青年を谷の狭まるところまで導くと、そこに、月の光に照らされて水が白くけぶる。これが歓びの泉、と畏敬の心をこめて姉はその名を明かし、そして教える。人間たちのもとではここの水が支えの流れとなるのです、と。

山の麓まで来て二人は立ち停まる。そこで姉は青年を、泣きながら、抱擁する。

一人になり青年は原・苦悩の山中へ入って往く。足音ひとつ、運命の無言《しじま》の中から立たない。

★

しかし彼らは、無限の境に入った死者たちはわれわれに、ただひとつの事の比喩を呼び覚まして往った。見るがよい、死者たちはおそらく、指差して見せたのだ、榛《はしばみ》の枯枝から垂れ下がる花穂を。あるいは雨のことを言っていたのだ、早春の黒い土壌に降る雨のことを。

そしてわれわれは、上昇する幸福を思うわれわれは、おそらく心を揺り動かされ、そのあまり戸惑うばかりになるだろう──幸福なものは下降する、と悟った時には。

＊

死者たちは呼び覚ました、と沈黙の後でいきなり過去形でまた語り出したところを見れば、この終結部は第十歌だけでなく、「ドゥイノの悲歌」の全体を受けるものなのだろう。それぞれの悲歌にはそれぞれの死者たちの、機縁があったように思われる。それもかなり身近な死者たちであって、詩の呼びかける相手が顔も姿も備えているようで、そこで詩の透明さの中へ「私」の陰翳が差すと感じられるが、その跡はたどれない。かなり「私的」な詩であるのかもしれない。

とにかく、訳者としても、仕舞いまでは来た。四カ月に一歌なので、三年ほども掛かった。訳詩とは言わない。詩にはなっていない。これも試文である。エッセイの地の文の中へ、仮の引用のようなものとして、入るべきものだ。

時代錯誤とまでは言わないが、季節はずれのことはしていた。あるいは原詩も、季節はずれへの覚悟が、究極の立場ではなかったか、と思わせられる折もあった。悲歌《エレギー》という形、と言うよりも心が、現代の言葉で可能なものかどうか、とそんな夢のようなことも考えた。

この試みそのものも夢のようなもので、訳し了えたところで、訳者自身、すべて忘れてしまうかもしれない。

作家の休日

著者から読者へ

古井由吉

この詩についての随想および試訳は、詩の雑誌、書肆山田刊行の「るしおる」の一九九七年六月の号から、二〇〇五年三月の号まで連載された。還暦の年から、足掛け九年の仕事になったが、詩の雑誌のことで毎度原稿の集まりが遅く、号から号へ間伸びするので、私にとっても悠長な時間に恵まれた。

小路は北陸の金沢ではショウジと呼ばれる。その冬場の金沢の町の、暗天のもとに続く小路をどこまでもくねくねとたどって行けば、ふいに明るい辻に出そうな気がしたものだ。そんなことのあったのを思い出したようだった。

詩はもとより私の領分ではない。外国文学の分野《はたけ》からも、離れてからもう久しい。それでも還暦の今ならぎりぎり、青年期への「お礼奉公」をささやかながら済ませるような気持もあった。その間に小説のほうも続けて、短篇集の「夜明けの家」や「聖耳」や、長篇の「野川」を書いたことになる。

小説は相変わらず苦渋の連続だったが、この詩についての随想のほうは、わずかずつ思い出すにまかせているうちに、いつか私としては楽な筆の運びとなっていた。こんなことは、「山躁賦」の時のほかは知らない。自分は小説と随想の間に生息する者かと思った。

しかしひとつの詩について感想を述べるにも、その詩を自分なりに訳さないことには、話は通じない。そこで訳しにかかれば、これがまた悪戦苦闘、清明な詩ほど訳し取るのがむずかしい。訳してしまってから、じつは自分の手には余る、深い詩人を相手にしていたのだと思い知らされた。とりわけコンラート・フェルディナント・マイヤーの詩の、

——苦しみのない今日が流れ落ちる。

この一行が身に染みた。あえて訳したことをひそかに恥じるほどのものだった。

原文で読むかぎりはその音律に運ばれているはずであり、それでこそまがりなりにも読めるのだろうが、訳すとなればひとたびその音律を離れることになるので、虚空を踏むような心細さになるのはやむをえぬことだ。そう思い定めてフランスの詩人たちも訪ねることになり、果てはギリシャ悲劇にまで及んで、さすがに遠くまで来すぎたようなので、若い頃に親しんだシュテファン・ゲオルゲの詩に戻って、そこで早々に切りあげるつもり

が、何に背を押されたのか、ライナー・マリア・リルケの、かの難解な「ドゥイノの悲歌」を、せめて最初の一篇だけでもと、訳してみることになった。

悲歌（エレゲイアー）の六韻律《ヘクサメーター》も五韻律《ペンタメーター》も私の手には負えないので、行変えなしの棒訳とした。試文というほどのつもりで始めたのだが、一行ごとに苦しんで、惨憺たる思いで第一篇を切り抜けて来て、ここで断念、やめておくに如くはないと見た。しかし私にも生来、向こう見ずのところがあるようで、敗け戦を上手に引けなかったばかりに、一篇ずつ先へ先へとのめりこんで行き、途中でこの先どうしたものかと立ちつくすこともしばしばあったが、見かねて助けに入ってくれた詩の霊のようなものもあったようで、とにかく第十歌の最終篇の最後の一行にまで倒れこむようにしてたどり着いた。原初の苦悩の山中へ分け入っていく青年の死者を見送ることになった。自身も七十歳の手前まで来ていた。

あの当時も自分のしたことが粗忽の夢のように感じられて、手を離れてしばらくすれば自分でも忘れてしまうのではないかと思われた。あれから十年あまり経った今でも、文庫のための校正刷をたどっていると、すっかり忘れていたことがさまざまあり、こんなことを書いていたのかと怪しんだ。

ながらく忘れていた過去の人と出遇って、お互いに呆然として、交わす言葉もしばしないような心地になることもある。

「ドゥイノの悲歌」の試訳と、長篇小説の「野川」が同時進行であった時期もあり、いろいろと苦労はあったが、今から振り返れば、「詩への小路」のほうが苦しいながらに、作家稼業の休日であったような気がしないでもない。

詩学入門書として

解説

平出　隆

詩を読む者にとってさえ普段は目に慣れない名前が、次々と巻頭から並ぶ。フセイン・アル・ハラージの詩句は「処刑詩」として取り上げられる。処刑される者が刑場へ向う途に、大声で歌ったことばだという。マルティン・ブーバーが出典らしい。以下はドイツ語圏の詩人たちで、ゴットフリート・ケラー、フリードリヒ・ヘッベル、コンラート・フェルディナント・マイヤー、アンネッテ・フォン・ドロステ゠ヒュルスホフ、アンドレアス・グリュウフィウス、グリンメルスハウゼン。

第二章にハインリッヒ・フォン・クライストとボードレールが現れ、リルケ「ドゥイノの悲歌」第四歌への最初の踏み込みがなされる。だが、初学に立ち戻ろうとするかのような翻訳の試行が、こちらからは遠い詩人たちに即してつづく。先になってようやく、私などにも親しい詩人たちが現れ、第八章以降はシラー、マラルメ、漱石、ダンテ、アイスキユロス、ソフォクレース、ヴァレリー、ゲオルゲと連なる。ここまでで十五の章をかけている。ドイツ語が中心だが、フランス語にも古代ギリシア語にも、みずから翻訳の手続きを必ず取ろうとされる。その翻訳への取り組みかたが、いちいち節度と謙譲に満ちている。つまりは断念を伴っている。改行を諦めて、つまり日本語における韻律の工夫を諦めて、散文形に訳し下ろすということもされる。

雑誌連載時の読者は、このままエッセイの語りにそって翻訳詞華集が編まれていくのかと思ったことだろう。私もその一人だった。ところが、第十六章の書き出しに至って文面は一変する。

「ライナー・マリア・リルケの「ドゥイノの悲歌」と呼ばれる難物を、第一歌だけであるが、訳すという無分別を冒すことになる。無論、試訳である。訳文と言ってもよい。」「印欧語の六韻と言い五韻と言い、これを日本語に移すのは、すくなくとも私にとって、不可能であり無意味でもある。追い込んで訳すことになった。遠い琴の音に、ここに転がる土器《かわらけ》がつかのまでも共鳴することもありはしないか、とその程度の期待である。」

ここから第二十五章まで、きれいに十の悲歌を十の章に訳し収めて、この一書は第二十五章で閉じられる。最後には独語のようなわずかの仕舞いのことばがあるだけで、エッセイ風の語りに戻りきるわけではない。

いまもって怪しまれるのは、この構成は初めから企まれたものなのか、ということである。第十六章の書き出しの「第一歌だけであるが」とは、それが第一歌で終らなかったことに鑑みれば、ふとした機みの踏み込みを示すものか、それとも語りの小さな芝居であるのか。ともあれ結果として、これは「ドゥイノの悲歌」を翻訳ならざる翻訳として日本語に読み下し、と同時に評論ならざる評論としてそれを読み砕く、という仕事になった。その反面で、というか、その水面下で、エッセイ風の語りはなおも進行しているのであって、全体としてエッセイであることを諦めていない、ともいえそうである。

エッセイのことを「エッセイズム」とし、「試文」と呼び替える変換は、『仮往生伝試文』（一九八九年）という大仕事を顧みるまでもなく、古井由吉の文学の早くからの一つの表徴となっているものである。一九六九年に書かれた「私のエッセイズム」に次のように語られた。

「私は自分のおこなっていることを私なりのエッセイズムという漠とした概念でつかむようになり、小説とか評論とかの行き方にこだわらずに、自分の性にあった規模の事をとにかくトータルに表わしたいという表現欲にだけ従って、直截に試みてゆけばよいのだと、自分の迷いをすこしずつ清算しはじめた。」

評論については「批判精神の行使がどうしても空転するように今の世の中ができている」のではないかと思え、小説については「人に伝えるに価するような出来事がそもそもあるのだろうか」、そのような疑いと無力感が、「目の前にある物事をもう一度自分の手ではじめから粗描してみようというエッセイズムの行き方」を思考の出発点とさせたというのである。

こうしてみると、「小説」も「評論」も試文の上に載るようなことになるが、あるいは試文の中へ紛れるようなことになるが、『詩への小路』ではまた、「評論」と「翻訳」とが混ざりあいながら試文の中を潜るようにも見える。

最終章の最後のところで、「訳詩とは言わない。詩にはなっていない。これも試文である。エッセイの地の文の中へ、仮の引用のようなものとして、入るべきものだ」と切り上げる。さても徹底した、試みの試みであることだ。

改行をしないで散文形に訳文をとどめる、ということの礼節をまずは思い知りたいものである。では、その礼節はなにに対してのものか。ひとまずは「韻文」に対してと見える。または「原語」に対してとも思われる。いま書いているのが小説であろうとエッセイであろうとどちらでも知らぬという構えがエッセイズムであるはずのところで、この礼節はなにを意味するのか。

「私は外国文学者の畑から迷い出てきた小説書きである」と語りだしながら、ヨーロッパの言語と日本語という、大きな落差の中での仕事について、かつてこう語ったことがある。

「とにかく意味の通る日本語をめざすよりほかにないと考えた。しかし翻訳という作業はどのみち表現の建築物をひと部分ずつ解体して、また組立てていくことであり、建築物全体の微妙な成り立ちに触れて、いやでも物を思わされる。論理の構築というものがいかに表現の音楽性に支えられているかを、私は原文に倣って訳文の細部の論理を組立てていく作業の中で知った。読んでいるかぎりは明快でも、いざ翻訳してみると言葉の響きなり律動なりに支えられなければつながらない論理の部分がある。そしてその部分が全体の構築の成り立ちに無関係ではないのだ。論理というものは記号にまで抽象化されないかぎり、結局ひとり立ちのできないものなのではないか。言葉による了解というものは、論理性と音楽性が共振れを起すところで、はじめて生じるのではないか。そんなことまで私は考えた。」(「翻訳から創作へ」一九七一年)

これはヘルマン・ブロッホの小説を翻訳した経験から語られているらしい箇所である。論理性と音楽性が共振れを起すところまで、外国小説の翻訳の作業は求められた、とも読み替えられる。しかしその困難から、「文章の論理の節を取り払って日本の古文の語りの調子に流してしまいたいという誘惑にしきりに駆られた」ともいう。散文から散文への翻訳においてすら、音楽性が現れる。しかも彼我の言語の、それぞれの音楽性に分裂するかたちで現れるのであろう。

原理的にいえば、言葉の音楽性を第一と見ない「散文」と、それを第一とみなす「韻文」とは対立するはずである。

散文と韻文とは本質的に分れるものだとしない限り、創作者としてどちらかに専心することはできないのかもしれない。ところが、両者は劃然と分れるものではなく、むしろ二つの領域の渾然と重なりあう様態のあることに気づかされる。そしてこの重層化した様態にこそ本質が隠れていると見るような覚醒している書き手にとって、二項対立はまったく自明ではない。

徹底的に小説家であることを選んでいるとしか見えない古井由吉にあって、その小説作品における「韻文」への覚醒が尋常でないのは、このような「外国文学者の畑」における深甚な経験を外しては語れないことかもしれない。散文においてであっても、論理性は音楽性と切り離せない、という認識である。

以上のことを詩歌の立場から逆さまにいえば、音楽性は論理性と切り離せない、ということになる。詩は改行の形をとることが多いが、それというのも、世俗的な論理性からの切断が求められているからである。しかし切断は、それが切り離される岸辺としての論理性を必要とする。音楽性はそのような意味で、論理性と共振れを起すところではじめて生じる。

改行は、詩が詩であるがゆえにおのずからとる形だといえなくもない。だがむしろ、詩が詩であることを宣言するために施される操作と考えたほうが真相に近づく。

古井由吉は、それだから、礼節だけをもって訳詩を散文形にとどめているのではない。

ここで改行形式にしてしまえば、論理性と音楽性の共振に呑まれてしまうだろう。この稀有な試みは、翻訳をも読解をもエッセイズムに巻き込もうとするような過激な試みなのである。

ところで私は、「改行」の恣《ほしいまま》の行使がどうしても詩の空転をもたらすというふうに、今日の詩歌の空間、今の世の中のできかたを感じてきた詩作者である。詩の「行」の正体は、散文に即してこそ探索される。「改行」の音楽性が先行すると、その導きによって論理が空転する。「改行」を怺《こら》えるということがもう少し意識的に行なわれなければ、じつは音楽性もまた生れない。むしろ、手探りそのものといえる論理性に導かれ、一行の長さの有限性という物理学によって、事故のようにしてこそ「改行」はなされるべきではないか、と考えはじめてもきた。

一般的な改行の詩の姿を捨てたわけではないが、私の詩作は断章形式から、エッセイにも見える、散文詩ともつかぬ散文詩へと向い、自由詩とか定型詩とかの行きかたに拘泥せずに自分に合ったことを、というあの古井由吉のエッセイズムを詩の方へ裏返したような書きかたを続けてきた。その方向へ舵を切った時機に、古井由吉の書きものからはもちろん、直接に寄せていただいたことばからも深く励まされたという経緯がある。

そんな私には、『詩への小路』における散文形にとどまった「ドゥイノの悲歌」の翻訳は、またと見つけることのできそうにない素材と思えた。或る夜、久しぶりにお会いした機会を捉えて「改行させていただけないか」と思い切って申し出たところ、あっさりと快諾してくださった。古井由吉が詩の姿を捨ててまでして取り押えた「悲歌」の本体に、よそから詩形らしきものを与えてしまうのは冒瀆かつ矛盾ではないか。そんな自分の声に逆らいきれたのは、散文に即して詩の「行」の正体を問い、つまりは「改行」を疑ってきた者としての、奇妙な自信のようなもののせいだった。

「エレゲイアーとは古来、六韻律《ヘクサメーター》一行と五韻律《ペンタメーター》一行、この一組を単位とした詩の組立てになり、リルケもこの単位を踏んでいるが、印欧語の六韻と言い五韻と言い、これを日本語に移すのは、すくなくとも私にとって、不可能であり無意味でもある。」

そこで「追い込んで」の散文体となった、という。この「不可能であり無意味でもある」はいま、私の改行作業の前提となり、手懸りともなっている。むろん「不可能」を代行するのではないし、「無意味」を受け止めて阻喪するのでもない。私が手懸けようとしているのは、改行だけで日本語の律動形式に出会えるか、あえていえば「韻文体」に出会えるか、という実験である。詩作の場合も、翻訳の場合も、それがひとりの人間の作業であっては、措辞を変えることと行を替えることとはつい相互に働きあい、連動せざるをえない。すると、連動することで改行それだけがもたらすものが見えなくなる。しかし、いわば分担された作業の場合、措辞を変える方途はないため、おのずから「散文体」と「韻文体」とのあいだを問う、純度のある実験となる。しかし、はじめてみるとこの作業は、想像していた以上に困難なものだと知られた。その細部をいま語ることは解説の閾を大きく超えることになりそうなので控えるが、一つだけ書き留めておきたい。はじめてこの改行希望の申し出をした夜の酒場での会話を憶えている。古井さんは次のように言われた。改行したとして、原詩と同じ行数にはとてもなりえない。おそらく短くなるでしょう、と。

この奥深いヒントは、ほんとうにそうなるのかと、のちの取組みのさなかに私をひどく慄かせ、幾度か作業を中断させるほどになった。原詩の行数ときっちり揃えようとすることのほうがはるかに作業はたやすく、いわば正解に近づくように思えもしたからだ。この問題をようやく解消して、いや解消したことにして、私はいままた、不遜な改行作業を再開したところである。

「ドゥイノの悲歌」は第一歌と第二歌とが一九一二年の一、二月に書かれ、引き続きその春にドゥイノの館で、第三歌やその他のエレギーの部分が書きはじめられた。十篇の完成は、第一次世界大戦を挟み、むろんドゥイノからも離れ、じつに一九二二年のことであったという。改行を施しながら、気になってきたことを少し書いておきたい。この詩が書きはじめられる少し前のこと、一九一〇年八月三十日付の、館の主であるタクシス侯爵夫人に宛てた手紙は、大いなる格闘であった小説『マルテの手記』擱筆から『悲歌』へ至る途上の「分水嶺」を告げるものとして言及されることが多い。

そこにリルケの次のようなことばが見える。芸術とは、このうえなく情熱的な世界の反転 Inversion であり、無限なるものからの帰路である。その道では、すべての誠実な事物が芸術家を迎えてくれる。事物の顔が近づいてきて、独自の動きを見せる。事物の全容が見えるのはそのときである、と。すでに多く論及されている箇所である。と同時に、この「反転」については、ひとりリルケに限らず古今の芸術の原理としての普遍性が確かめられる。芭蕉の「行きて帰る心」はそのひとつである。反面、その用語も多様にありうる。ここでは、リルケが Inversion を使用したことに留意する。もちろん、日本語においての「反転」の使用も一案にすぎない。数ある類語の中から Inversion であったことに注意するのは、「反転」の一語でよいのか、という問と隣り合せでもある。

あるいは「反転」と「翻訳」は、そして「改行」は、じつは本質的に通いあっていることではないか。そのとき、これは普遍的という一語で済ませることのできない、詩と散文の布置を変える二十世紀文学における最初の大きな転換を指すことに気づかされる。

リルケに即していえば、非常な言語的展開を経験した時期にあたる。抒情詩人であったリルケは、ロダンの彫刻、さらにはセザンヌの絵画と出会うことによって「事物」として存在する芸術のありかたに覚醒する。一方で、パリという大都市の中で一九一〇年、小説形式の『マルテの手記』を書き上げることで、内部からの語り手ではなく、外部からの破壊的経験の受取り手となり、遭難者のように徹底的な絶望状態に打ち捨てられた。この深甚な散文的遭難は書くことの不可能性、死の不可能性の認識を通じて、やがて彼を「世界内部空間」(すべての存在を貫いて広がる一つの空間)という場へ連れ出していく。そこでは内部と外部、時間と空間、生と死が絶えず交わり、また入れ替わる。『詩への小路』の古井由吉はここに関わり、しかも世界文学の小説家として、リルケの置かれている反対斜面を眺めている。古井由吉が「改行」を施さずに「悲歌」翻訳を試みるのは、こう見れば、散文的破壊からの蘇生を常に我がこととしているからだといえなくもない。

いささか時間を隔てるが、一九六六年に書かれた「実体のない影――或る数学入門書を読んで」というエッセイから、珍らしく詩人の役目について語られた次の箇所を引き、『詩への小路』と重ねて読みたいと思う。

語りがたいものを語るのが、詩人の役目である。しかしこの役目をすぐさま《創造》と結びつけることには、大きな思いあがりがある。おそらくこのような自負が生まれたのはヨーロッパ近代のはじめ、世界の宗教性の傾きを見て取ったすぐれた個人の中で、宗教的な情熱が強い自意識とあいまって孤独に燃え上がったその時だろう。これらの詩人たちはおのれの営みを《創造》と呼んだ時、さぞかし神の《創造》に対する自負、罪悪感、屈従のいり混ったきわめて宗教的な感情を抱いたに違いない。だが、やがて時代がすすみ、宗教的情熱が衰えると、詩人たちはおのれの《創造》を支えるために、かずかずの詩論をものさなくてはならなくなる。
　もしも世界に対する任務というものが詩人にあるとしたら、それは《創造》ではなくて、むしろ《翻訳》ではあるまいか。過去の文化の翻訳、偉大な異文化の翻訳、そして何よりもかによりも、世界に現に存在し、現に力をふるっておりながら、依然として符号以外には言葉を受けつけぬものを、生きた言葉に翻訳すること、これこそ詩人の任務ではあるまいか。（中略）
　しかしここで翻訳といっても、あらゆる意味で逐語訳は不可能である。ここではテキストの明確さと、それを受けるべき言葉の明確さが、ほとんど常に質を異にする。それゆえ翻訳者はテキストをいちど自分の中に沈めてしまい、それからテキストによらず自分の口で語らなくてはならない。だがその時、かれはかならずしも生きた言葉で語るわけでない。生きた言葉だけに頼るかぎり、かれが克服できる領域はあまりにせまい。まだ生きてはいないが、やがて生きるやも知れぬ言葉で、かれは語るよりほかにない。

射影幾何学だろう、或る数学の専門書を読んで引き出される《影》と《実体》をめぐる思考は、《実体のない影》と《影のない実体》という例外に注目する。そこで数学は《影のない実体》のために影を、《実体のない影》のために実体をこしらえようとする。ところがそこで「比喩の流れはとつぜん《無限遠直線》という赤裸な数学的概念の中へながれ落ち、その中で《影》も《実体》も消えてしまう」。

ここで古井さんは、入門書の読者として、沈黙する門の前に立ってみせる。なぜならば、見捨てられて自由な心の状態の中で、自分にとって完全に白紙である領域の現実を全体的につかみ取ろう、構築しようと、素手で試みているからだ。

途中で、翻訳者・詩人と専門家の協力という話に導かれる。所詮ひとりではなにもできない、という認識が、一九六六年という早い時期に見透されていたことに驚きを禁じえない。それは四十年後の『詩への小路』に、その書きぶり、訳しぶりにも直通する。「地獄の沈黙」にも「再生の闘争」にも「鏡の内の戦慄」にも「則天去私」にも「エク・スタシス」にも、そしてリルケ自身のいい募った「Inversion」にも「世界内部空間」にも直通する。

『詩への小路』は私にとって、詩への接し方のお手本とも呼べる数少ない書物の一冊である。その本は詩論を語らぬ。その翻訳は原詩にあるはずの改行さえしない。ただ沈黙する門の前に立ってみせる。見捨てられて自由な心の状態の中で、自分にとって完全に白紙である領域の現実を全体的につかみ取ろう、構築しようと、素手で試みたいからだ。まるで沈黙する門の外に立ちつづける入門者の、みずからのために書いている入門書のようだ。

お手本といっても、それを真似ることの不可能も、また組み込まれている。

年譜

古井由吉

一九三七年（昭和一二年）
一一月一九日、父英吉、母鈴の三男として、東京都荏原区平塚七丁目（現、品川区旗の台六丁目）に生まれる。父母ともに岐阜県出身。本籍地は岐阜県不破郡垂井町。祖父由之は、明治末、地元の大垣共立銀行の経営立て直しにもかかわった岐阜県選出の代議士であった。

一九四四年（昭和一九年）　七歳
四月、第二延山国民学校に入学。

一九四五年（昭和二〇年）　八歳
五月二四日未明の山手大空襲により罹災、父の実家、岐阜県大垣市郭町に疎開。七月、同市も罹災し、母の郷里、岐阜県武儀郡美濃町（現、美濃市）に移り、そこで終戦を迎える。一〇月、東京都八王子市子安町二丁目に転居。八王子第四小学校に転入。

一九四八年（昭和二三年）　一一歳
二月、東京都港区白金台町二丁目に転居。

一九五〇年（昭和二五年）　一三歳
三月、東京都港区立白金小学校を卒業。四月、港区立高松中学校に入学。

一九五二年（昭和二七年）　一五歳
九月、東京都品川区北品川四丁目（御殿山）に転居。

一九五三年（昭和二八年）　一六歳

三月、虫垂炎をこじらせて腹膜炎で四〇日入院。同月、高松中学校を卒業。四月、独協高校に入学、ドイツ語を学ぶ。九月、都立日比谷高校に転校。同じ学年に福田章二（庄司薫）、塩野七生、一級上に坂上弘がいた。

一九五四年（昭和二九年）一七歳
日比谷高校の文学同人誌『驚起』に加わり、小説一編を書く。この頃、倒産出版社のゾッキ本により、内外の小説を乱読する。

一九五六年（昭和三一年）一九歳
三月、日比谷高校を卒業。四月、東京大学文科二類に入学。「歴史学研究会」に所属、明治維新研究グループに加わる。アルバイトにデパートの売り子などをした。七月、登山の初心者だったが、いきなり北アルプスの針ノ木雪渓に登らされた。

一九六〇年（昭和三五年）二三歳
三月、東京大学文学部ドイツ文学科を卒業。卒業論文はカフカ、主に「日記」を題材とした。四月、同大学大学院修士課程に進む。

一九六二年（昭和三七年）二五歳
三月、大学院修士課程を修了。修士論文はヘルマン・ブロッホ。四月、助手として金沢大学に赴任、金沢市材木町七丁目（現、橋場町五番）の中村印房に下宿。土地柄、酒に親しむようになった。『金沢大学法文学部論集』に「『死刑判決』に至るまでのカフカ」を載せる。岩手、秋田の国境の山を歩いた。

一九六三年（昭和三八年）二六歳
一月、北陸大豪雪（三八豪雪）に遭う。半日屋根に上がって雪を降ろし、夜は酒を呑んで四膳飯を食うという生活が一週間ほど続いた。銭湯でしばしば学生に試験のことをたずねられて閉口した。ピアノの稽古を始めて、ふた月でやめる。夏、白山に登る。

一九六四年（昭和三九年）二七歳
一一月、岡崎睿子と結婚、金沢市花園町に住む。ロベルト・ムージルについての小論文を学会誌に発表。
一九六五年（昭和四〇年）　二八歳
四月、立教大学に転任、教養課程でドイツ語を教える。ヘルマン・ブロッホ、ノヴァーリス、ニーチェについて、それぞれ小論文を立教大学紀要および論文集に発表。北多摩郡上保谷に住む。
一九六六年（昭和四一年）　二九歳
文学同人「白描の会」に参加。同人に、平岡篤頼・高橋たか子・近藤信行・米村晃多郎らがいた。一二月、エッセイ「実体のない影」を『白描』七号に発表。この年はもっぱら翻訳に励み、また一般向けの自然科学書をよく読んでいた。
一九六七年（昭和四二年）　三〇歳
四月、ヘルマン・ブロッホの長編小説「誘惑者」を翻訳して筑摩書房版『世界文学全集56ブロッホ』に収めて刊行。／九月、長女麻子生まれる。ギリシャ語の入門文法をひと通りさらったが、後年続かず、この夏から手を染めた競馬のほうは続くことになった。
一九六八年（昭和四三年）　三一歳
一月、処女作「木曜日に」を『白描』八号、一一月「先導獣の話」を同誌九号に発表。／一〇月、ロベルト・ムージルの「愛の完成」「静かなヴェロニカの誘惑」を翻訳、筑摩書房版『世界文学全集49リルケ　ムージル』に収めて刊行。／九月、世田谷区用賀二丁目に転居。一二月、虫歯の治療をまとめておこない、初めて医者から、老化ということをほのめかされた。
一九六九年（昭和四四年）　三二歳
七月「菫色の空に」を『早稲田文学』、八月「円陣を組む女たち」を『海』創刊号、一一月「私のエッセイズム」を『新潮』、「子供たちの道」を『群像』、「雪の下の蟹」を『白描』一〇号に発表。『白描』への掲載はこの号でひとまず終了。／四月、八十岡英治の推輓で、学芸書林版『現代文学の発見』別巻『孤独のたたかい』に「先導獣の話」が収められる。／一〇月、次女有子が生まれる。この年、大学紛争盛ん。

一九七〇年（昭和四五年）　三三歳

二月「不眠の祭り」を『海』、五月「男たちの円居」を『新潮』、八月「杳子」を『文芸』、一一月「妻隠」を『群像』に発表。／六月、第一作品集『円陣を組む女たち』（中央公論社）、七月『男たちの円居』（講談社）を刊行。／三月、立教大学を助教授で退職。八年続いた教師生活をやめる。この年、『文芸』などの仕事により阿部昭・黒井千次・後藤明生らを知る。作家たちと話した初めての体験であった。一一月、母親の急病の知らせに駆けつけると、ちょうど三島由紀夫死去のニュースが入った。

一九七一年（昭和四六年）　三四歳

二月より『文芸』に「行隠れ」の連作を開始（一一月まで全五編で完結）。三月「影」を『文学界』に発表。／一月『杳子・妻隠』（河出書房新社）を刊行。一一月、「新鋭作家叢書」全一八巻の一冊として『古井由吉集』を河出書房新社より刊行。／一月「杳子」により第六四回芥川賞を受賞。二月、母鈴死去。六二歳。親類たちに悔やみと祝いを一緒に言われることになった。五月、平戸から長崎まで、小説の《現場検証》のため旅行。

一九七二年（昭和四七年）　三五歳

二月「街道の際」を『新潮』、四月「水」を『季刊芸術』春季号、九月「狐」を『文学界』、一一月「衣」を『文芸』に発表。／三月『行隠れ』（河出書房新社）を刊行。一一月、講談社版『現代の文学36』に李恢成・丸山健二・高井有一とともに作品が収録される。／一月、山陰旅行。八月、金沢再訪。一二月、土佐高知に旅行、雪に降られる。

一九七三年（昭和四八年）　三六歳

一月「弟」を『文芸』、「谷」を『新潮』、五月「畑の声」を『新潮』に発表。九月より「櫛の火」を『文芸』に連載（七四年九月完結）。／二月『筑摩世界文学大系64　ムージル　ブロッホ』に「愛の完成」「静かなヴェロニカの誘惑」「誘惑者」の翻訳を収録刊行。四月『水』（河出書房新社）、六月『雪の下の蟹・男たちの円居』（講談社文庫）を刊行。／三月、奈良へ旅行、東大寺二月堂の修二会のお水取りの行を外陣より見学する。八月、佐渡へ旅行。九月、新潟・秋田・盛岡をまわる。

一九七四年（昭和四九年）　三七歳

三月『円陣を組む女たち』（中公文庫）、一二月『櫛の火』（河出書房新社）を刊行。／二月、京都へ。神社仏閣よりも京都競馬場へ急行した。四月、関西のテレビに天皇賞番組のゲストとして登場する。七月、ダービー観戦記「橙色の帽子を追って」を日本中央競馬会発行の雑誌『優駿』に書く。八月、新潟まで競馬を見に行く。

一九七五年（昭和五〇年）　三八歳

一月「雫石」を『季刊芸術』冬季号、「駆ける女」を『新潮』に発表。同月より「聖」を『波』に連載（一二月完結）。／三月『櫛の火』が日活より神代辰巳監督で映画化される。六月『文芸』で、吉行淳之介と対談。

一九七六年（昭和五一年）　三九歳

一月「櫟馬」を『文芸』、三月「夜の香り」を『新潮』、四月「仁摩」を『季刊芸術』春季号に発表。六月「女たちの家」を『婦人公論』に連載（九月完結）。一〇月「哀原」を『文学界』、一一月「人形」を『太陽』に発表。／五月『聖』（新潮社）を刊行。／この頃から高井有一・後藤明生・坂上弘と寄り合う機会が多くなった。三月、『文芸』で武田泰淳と対談（一〇月武田泰淳死去）。一一月、九州からの帰りに奈良に寄り、東大寺の三月堂の観音と戒壇院の四天王をつくづく眺めた。

一九七七年（昭和五二年）四〇歳

一月「赤牛」を『文学界』、五月「女人」を『プレイボーイ』、六月「安堵」を『すばる』に発表。九月、後藤明生・坂上弘・高井有一と四人でかねて企画準備中だった同人雑誌『文体』を創刊、「棲」を創刊号に発表。一〇月「池沼」を『文学界』、一二月「肌」を『文体』二号に発表する。／二月『女たちの家』（中央公論社）、一一月『哀原』（文芸春秋）を刊行。／四月、京都東本願寺の職員組合に招かれ、若い僧侶たちと呑む。八月、金沢に旅行して金石・大野あたりの、室生犀星も遊んだはずの、渚と葦原が、埋め立てられて臨海石油基地になっているのを見て啞然とさせられる。帰路、新潟に寄る。

一九七八年（昭和五三年）四一歳

三月「湯」を『文体』三号、四月「椋鳥」を『海』、六月「背」を『文体』四号、七月「親坂」を『世界』、九月「首」を『文体』五号、一一月「子安」を『小説現代』、一二月「子」を『文体』六号に発表。／六月『筑摩現代文学大系96』に黒井千次・李恢成・後藤明生とともに作品が収録される。一〇月『夜の香り』（新潮社）を刊行。／四月、若狭の矢代という漁村に「手杵祭」という祭りを見に行く。一二月、大阪での仕事の帰りに京都・奈良に寄る。同月、美濃・近江・若狭をめぐる。さまざまな観音像に出会った。この旅により菊地信義を知る。

一九七九年（昭和五四年）四二歳

一月「咳花」を『文学界』、三月「道」を『文体』七号、六月「葛」を『文体』八号、七月「牛男」を『新潮』、九月「宿」を『文体』九号、一〇月「痩女」を『海』、一二月「雨」を『文体』一〇号に発表。／九月『女たちの家』（中公文庫）、一〇月『行隠れ』

（集英社文庫）、一一月『栖』（平凡社）、一二月『杳子・妻隠』（新潮文庫）を刊行。／この頃から、芭蕉たちの連句、心敬・宗祇らの連歌、さらに八代集へと、逆繰り式に惹かれるようになった。三月、丹波・丹後へ車旅。六月、郡上八幡、九頭竜川、越前大野、白山、白川郷、礪波、金沢、福井まで車旅、大江山を越える。八月、久しぶりの登山、安達太良山に登ったが、小学生たちにずんずん先を行かれた。一〇月、北海道へ車旅、根釧湿原のほとりに立つ。一二月、新宿のさる酒場で文芸編集者たちの歌謡大会の審査員をつとめた。この頃から『文体』の編集責任の番が回ってきたので、自身も素人編集者として忙しく出歩いた。

一九八〇年（昭和五五年）　四三歳

一月「あなたのし」を『文学界』に発表。エッセイ「一九八〇年のつぶやき」を『日本経済新聞』に全二四回連載（六月まで）。三月「声」を『文体』一一号、四月「あなおもしろ」を『海』に発表。五月より「無言のうちは」を『青春と読書』に隔月連載（八二年二月完結）。六月「親」を『文体』一二号（終刊号）、一〇月「明けの赤馬」を『新潮』に発表。一一月「槿」を寺田博主幹の『作品』創刊号に連載開始。／二月『水』（集英社文庫）、四月～六月『全エッセイ』全三巻（作品社）、四月『山に行く心』、五月『言葉の呪術』、六月『日常の〝変身〟』、八月『椋鳥』（中央公論社）、一二月『親』（平凡社）を刊行。／二月、比叡山に登り雪に降られる。帰ってきて山の祟りか高熱をだした。五月、近江の石塔寺、信楽、伊賀上野、室生寺、聖林寺まで旅行した。その四日後のダービーの翌日、一二年来の栖を移り、同じ棟の七階から二階へ下ってきた。半月後に、腰に鈴を付けて大峰山に登る。五月『栖』により第一二回日本文学大賞を受賞。鮎川信夫と対談。六月

『文体』が一二号をもって終刊となる。一〇月、高野山から和歌浦、四国へ渡って讃岐の弥谷山まで旅行。

一九八一年（昭和五六年）　四四歳

一月「家のにおい」を『文学界』、二月「静かさや」を『文芸春秋』、四月「団欒」を『群像』、六月「冬至過ぎ」を『すばる』、一〇月「蛍の里」を『群像』、一一月「芋の月」を『すばる』に発表。同月『作品』の休刊により中断していた「槿」の連載を新雑誌『海燕』で再開（八三年四月完結）。一二月「知らぬおきなに」を『新潮』に発表。／六月『新潮現代文学80　聖・妻隠』（新潮社）、一二月『櫛の火』（新潮文庫）を刊行。／一月、成人の日に粟津則雄宅に、吉増剛造・菊地信義と集まり連句を始める。ずぶの初心者が発句を吟《よ》まされる。「越の梅初午近き円居かな」。二月、京都・伏見・鞍馬・小塩・水無瀬・石清水などをまわる。六月、福井から敦賀、色の浜、近江、大垣まで「奥の細道」の最後の道のりをたどる。また、雨の比叡山に時鳥の声を聞きに行き、ついで朽木から小浜まで足をのばし、また峠越えに叡山までもどる。同じく六月、東京のすぐ近辺で蛍の群れるところを見た。七月、父親が入院、病院通いが始まった。

一九八二年（昭和五七年）　四五歳

一月「囀りながら」を『海』、エッセイ「風雅和歌集」を『読売新聞』（一一～一四、一六日）に発表。二月『青春と読書』に隔月で連載した作品が第一二回「帰る小坂の」で完結（『山躁賦』としてまとめられる）。四月「陽気な夜まわり」を『群像』、七月「飯を喰らう男」を同じく『群像』に発表。同月『図書』に連載エッセイ「私の《東京物語》考」を始める（八三年八月まで）。／四月『山躁賦』（集英社）を刊行。九月、文芸春秋『芥川賞全集』第八巻に「杳子」を収録刊行。同月より『古井由吉 作品』全七巻を河出書房新社より毎月一巻刊行開始（八三年三月完結）。／六月、『優駿』の依頼で、北海道は浦河の奥、杵臼の斎藤牧場まで行き、天皇賞馬モンテプリンス号の育成の苦楽を斎藤氏一家にたずねるうちに、父英吉死去の知らせが入った。八〇歳。

一九八三年（昭和五八年）　四六歳

一月より「一九八三年のぼやき」を共同通信配信の各紙において全一二回連載。四月二五日より八四年三月二七日まで、『朝日新聞』の「文芸時評」を全二四回連載。八月『図書』連載の「私の《東京物語》考」完結。一二月、菊地信義と対談「本が発信する物としての力」を『海』に載せる。／六月『槿』（福武書店）、一〇月『椋鳥』（中公文庫）を刊行。／九月、仲間が作品集完結祝いをしてくれる。同月『槿』で第一九回谷崎潤一郎賞を受賞。

一九八四年（昭和五九年）　四七歳

一月「裸々虫記」を『小説現代』に連載（八五年一二月完結）。九月「新開地より」を『海燕』、一〇月「客あり客あり」を『群像』に発表。一一月、吉本隆明と対談「現在における差異」を『海燕』に掲載。一二月「夜はいま——」を『潭』一号に発表。／三月『東京物語考』（岩波書店）、四月『グリム幻想』（PARCO出版局、東逸子と共著）、一一月、エッセイ集『招魂のささやき』（福武書店）を刊行。／六月、北海道の牧場をめぐる。九月『海燕』新人文学賞選考委員をつとめる（八九年まで）。一〇月、二週間の中国旅行、ウルムチ、トルファンまで行く。一二月、同人誌『潭』創刊。編集同人粟津則雄・入沢康夫・渋沢孝輔・中上健次・古井由吉、デザイナー菊地信義。

一九八五年（昭和六〇年）　四八歳

一月「壁の顔」を『海燕』、二月「邯鄲の」

を『すばる』、四月「叫女」を『潭』二号に発表。エッセイ「馬事公苑前便り」を『優駿』に連載（八六年三月まで）。五月「斧の子」を『三田文学』、六月「眉雨」を『海燕』、八月「道なりに」を『潭』三号、九月「踊り場参り」を『新潮』、一一月「秋の日」を『文学界』、一二月「沼のほとり」を『潭』四号に発表。／三月『明けの赤馬』（福武書店）刊行。／八月、日高牧場めぐり。

一九八六年（昭和六一年）四九歳

一月「中山坂」を『海燕』に発表。二月、『文芸』春季号に「厠の静まり」を連作『仮往生伝試文』の第一作として発表（八九年五月『文芸』春季号「また明後日ばかりまゐるべきよし」で完結）。四月「朝夕の春」を『潭』五号に発表。『優駿』の連載エッセイを「こんな日もある　折々の馬たち」のタイトルで再開。九月「卯の花朽たし」を『潭』六号、エッセイ「変身の宿」を『読売新聞』（一九日）、一二月「椎の風」を『潭』七号に発表。／一月『裸々虫記』（講談社）、二月『眉雨』（福武書店）、『聖・栖』（新潮文庫）、三月『「私」という白道』（トレヴィル）を刊行。／一月、芥川賞選考委員となる（二〇〇五年一月まで）。三月、一ヵ月にわたり栗津則雄・菊地信義・吉増剛造らとヨーロッパ旅行。吉増剛造運転の車により六〇〇〇キロほど走る。一〇月岐阜市、一一月船橋市にて、前記の三氏と公開連句を行う。

一九八七年（昭和六二年）五〇歳

一月「来る日も」を『文学界』、「年の道」を『海燕』、二月「正月の風」を『青春と読書』、「大きな家に」を『潭』八号、八月「露地の奥に」を『新潮』、九月「往来」を『潭』九号に発表。一〇月、エッセイ「二十年ぶりの対面」を『読売新聞』（三一日）に掲載。一一月「長い町の眠り」を『石川近代文学全集10』に書き下ろす。／三月『夜はいま』（福武書店）、四月『山躁賦』（集英社文庫）、八月『フェティッシュな時代』（トレヴィル、田中康夫と共著）、九月、吉田健一・福永武彦・丸谷才一・三浦哲郎とともに『昭和文学全集23』（小学館）、一一月『石川近代文学全集10　曽野綾子・五木寛之・古井由吉』（石川近代文学館）、『夜の香り』（福武文庫）、一二月、ムージルの旧訳を改訂した『愛の完成・静かなヴェロニカの誘惑』（岩波文庫）を刊行。／一月、備前、牛窓に旅行。二月、熊野の火祭に参加、ついで木津川、奈良、京都、近江湖北をめぐる。四月「中山坂」で第一四回川端康成文学賞受賞。八月、姉柳沢愛子死去。

一九八八年（昭和六三年）　五一歳

一月「庭の音」を『海燕』、随筆「道路」を『文学界』、四月「閑の頃」を『海燕』に発表。『すばる』臨時増刊《石川淳追悼記念号》に「石川淳の世界　五千年の涯」を載せる。五月「風邪の日」を『新潮』に、七月「畑の縁」を『海燕』に、一〇月「瀬田の先」を『文学界』に発表。／二月『雪の下の蟹・男たちの円居』（講談社文芸文庫）、四月、随想集『日や月や』（福武書店）、七月『ムージル　観念のエロス』（岩波書店）、『槿』（福武文庫）、一一月、古井由吉編『日本の名随筆73　火』（作品社）を刊行。／一〇月、カフカ生誕の地、チェコの首都プラハなどに旅行。

一九八九年（昭和六四年・平成元年）　五二歳

一月「息災」を『海燕』に、三月「髭の子」を『文学界』に発表。四月「旅のフィールド・ノート〈オーストラリア〉」を『中央公論』に連載（七月まで）。七月「わずか十九年」を『海燕』阿部昭追悼特集に、「昭和の記憶　安堵と不逞と」を『太陽』に発表。八月『毎日新聞』に掌編小説「おとなり」（二日）を載せる。一〇月まで「読書ノート」を

『文学界』に連載。一一月「影くらべ」を『群像』に発表。『すばる』に「インタビュー文芸時評　古井由吉と『仮往生伝試文』」(聞き手　富岡幸一郎)が載る。／五月『長い町の眠り』(福武書店)、九月『仮往生伝試文』(河出書房新社)、一〇月『眉雨』(福武文庫)を刊行。／一二月、『中央公論』の連載のためオーストラリアに旅行。

一九九〇年(平成二年)　五三歳

一月『新潮』に「楽天記」の連載を開始(九一年九月完結)。五月、随筆「つゆしらず」を『文学界』、八月「夏休みのたそがれ時」を『日本経済新聞』(一九日)、九月「読書日記」を『中央公論』に発表。／三月『東京物語考』を同時代ライブラリーとして岩波書店より刊行。／二月、第四一回読売文学賞小説賞(平成元年度)を『仮往生伝試文』によって受賞。九月末からヨーロッパ旅行。一〇月初め、フランクフルトで開かれた日本文学とヨーロッパに関する国際シンポジウムに大江健三郎、安部公房らと出席。折しも、東西両ドイツ統合の時にいあわせる。その後、ドイツ国内、ウィーン、プラハを訪れる。

一九九一年(平成三年)　五四歳

一月「文明を歩く――統一の秋の風景」を『読売新聞』(二一～三〇日)に連載。二月「平成紀行」を『文芸春秋』に発表。『青春と読書』に「都市を旅する　プラハ」を連載(八月まで四回)。三月、エッセイ「男の文章」を『文学界』に発表。六月「天井を眺めて」を『日本経済新聞』(三〇日)に掲載。九月「楽天記」(『新潮』)完結。一一月より九二年二月まで『すばる』にエッセイを連載。／三月、新潮古典文学アルバム21『与謝蕪村・小林一茶』(新潮社、藤田真一と共著)を刊行。／一一月、頸椎間板ヘルニアにより約五〇日間の入院手術を余儀なくされる。四月退院。一〇月、長兄死去。

一九九二年（平成四年）　五五歳
一月『海燕』に連載を開始（第一回「寝床の上から」）。二月「蝙蝠ではないけれど」を『文学界』に発表。三月、養老孟司との対談「身体を言語化すると……」を『波』、四月、江藤淳と対談「病気について」を『海燕』、松浦寿輝と対談「『私』と『言語』の間で」を『ルプレザンタシオン』春号に載せる。『朝日新聞』（六～一〇日）に「出あいの風景」を執筆。五月、平出隆と対談「『楽天』を生きる」を『新潮』、六月、エッセイ「だから競馬は面白い」を『現代』、七月「昭和二十一年八月一日」を『中央公論』、九月、吉本隆明と対談「漱石的時間の生命力」を『新潮』に掲載。／一月『招魂としての表現』（福武文庫）、三月『楽天記』（新潮社）を刊行。
一九九三年（平成五年）　五六歳
一月、大江健三郎と対談「小説・死と再生」を『群像』、随筆「この八年」を『新潮』、「無知は無垢」を『青春と読書』に載せる。『文芸春秋』に美術随想「聖なるものを訪ねて」を一二月まで連載。五月、「魂の日」（連載最終回）を『海燕』に発表。七月、創作「木犀の日」と評論「凝滞する時間」を『文学界』に発表。同月四日から一二月二六日までの各日曜日に『日本経済新聞』に「こころ」と題して随想を連載。八月「初めの言葉として《わたくし》」を『群像』に発表。九月、吉本隆明と対談「心の病いの時代」を『中央公論 文芸特集』、一一月「鏡を避けて」を『文芸』秋季号に載せる。／八月『魂の日』（福武書店）、一二月『小説家の帰還 古井由吉対談集』（講談社）を刊行。／夏、柏原兵三の遺児光太郎君とベルリンを歩く。
一九九四年（平成六年）　五七歳
一月「鳥の眠り」を『群像』、江藤淳と対談「文学＝隠蔽から告白へ――『漱石とその時

代　第三部』について」を『新潮』、二月「追悼野口冨士男　四月一日晴れ」を『文芸』春季号、随筆「赤い門」を『文学界』、「ボケへの恐怖」を『新潮45』、三月「背中ばかりが暮れ残る」を『群像』、奥泉光と対談「超越への回路」を『文学界』に掲載。七月『新潮』に「白髪の唄」の連載を始める（九六年五月まで）。七月四日より一二月一九日まで『読売新聞』の「森の散策」にエッセイを寄稿。九月「陰気でもない十二年」を『本』に、一〇月『世界』に「日暮れて道草」の連載を開始（九六年一月まで）。／四月、随想集『半日寂寞』（講談社）、『水』（講談社文芸文庫）、八月『陽気な夜まわり』（講談社）、一二月、古井由吉編『馬の文化叢書9文学　馬と近代文学』（馬事文化財団）を刊行。

一九九五年（平成七年）　五八歳

一月「地震のあとさき」を『すばる』、「新宿から山登り」を『青春と読書』、二月、柳瀬尚紀と対談「ポエジーの『形』がない時代の表現」を『海燕』、「震災で心に抱えこむいらだちと静まり」を『朝日新聞』（一六日）、四月、高橋源一郎と対談「表現の日本語」を『群像』、八月「『内向の世代』のひとたち」（講演記録）を『三田文学』に掲載。／五月『ムージル著作集』（松籟社刊）第七巻に「静かなヴェロニカの誘惑」「愛の完成」を収録。一〇月、競馬随想『折々の馬たち』（角川春樹事務所）、一一月『楽天記』（新潮文庫）を刊行。

一九九六年（平成八年）　五九歳

一月「日暮れて道草」（『世界』）の連載完結。五月「白髪の唄」（『新潮』）の連載完結。六月、福田和也と対談「言語欺瞞に満ちた時代に小説を書くということ」を『海燕』、同月「信仰の外から」を『東京新聞』（七日）、七月、大江健三郎と対談「百年の短編小説を読む」を『新潮』臨時増刊号、八月『早稲田文学』に小島信夫・後藤明生・平岡篤頼らと座談会「われらの世紀の文学は」を掲載。一一月『群像』に連作「死者たちの言葉」の連載を開始。一二月、「クレーンクレーン」（連作　その二）を『群像』に、江藤淳との対談「小説記者夏目漱石――『漱石とその時代　第四部』をめぐって」を『新潮』に掲載。／六月『神秘の人びと』（岩波書店、「日暮れて道草」の改題）、八月『白髪の唄』（新潮社）、『山に彷徨う心』（アリアドネ企画）を刊行。

一九九七年（平成九年）　六〇歳

一月『群像』に、連作「島の日（死者たちの言葉　その三）」（以下、三月「火男」、四月「不軽」、五月「山の日」、七月「草原」、八月「百鬼」、九月「ホトトギス」、一一月「通夜坂」、一二月「夜明けの家」、九八年二月「死者のように」で完結）を発表。同月、中村真一郎との対談「日本語の連続と非連続」を『新潮』、随筆「姉の本棚　謎の書き込み」を『文学界』に掲載。二月「午の春に」（随筆）を『文芸』春季号に発表。六月「詩への小路」を『るしおる』（書肆山田）に連載開始（二〇〇五年三月まで）。七月「《追悼石和鷹》気をつけてお帰りください　石和鷹の声」を『すばる』に発表。一二月、西谷修と対談「全面内部状況からの出発」を『新潮』に掲載。／一月『白髪の唄』により第三七回毎日芸術賞受賞。

一九九八年（平成一〇年）　六一歳

二月「死者のように」を『群像』に掲載。八月、津島佑子と対談「生と死の往還」を『群像』に掲載。八月より、佐伯一麦との往復書簡を『波』に連載（翌年五月まで）。一〇月、藤沢周と対談「言葉を響かせる」を『文学界』に掲載。／二月『木犀の日　古井由吉自選短篇集』（講談社文芸文庫）、四月、短篇集『夜明けの家』（講談社）を刊行。／三月五日から一七日、右眼の網膜円孔（網膜に微小の孔があく）の手術のため東大病院に入院。四月、河内長野の観心寺を再訪、如意輪観音の開帳に会う。同行、菊地信義。五月一四日から二五日、再入院再手術。七月、国東半島および臼杵《うすき》に、九月、韓国全羅南道の雲住寺に、石仏を訪ねる。一一月五日から一一日、右眼網膜円孔に伴う白内障の手術のため東大病院に入院。

一九九九年（平成一一年）　六二歳

一月、花村萬月と対談「宗教発生域」を『新潮』に掲載。二月より「夜明けまで」に始まる連作を『群像』に発表（以下、三月「晴れた眼」、五月「白い糸杉」、六月「犬の道」、八月「朝の客」、九月「日や月や」、一一月「苺」、二〇〇〇年二月「初時雨」、同三月「年末」、同四月「火の手」、同六月「知らぬ唄」、同七月「聖耳」で完結）。／一〇月、佐伯一麦との往復書簡集『遠くからの声』（新潮社）、『白髪の唄』（新潮文庫）を刊行。／二月一五日から二三日、左眼に網膜円孔発症、前年の執刀医の転勤を追って、東京医科歯科大病院に入院。同じ手術を受ける。五月六日から一一日、左眼網膜治療に伴う白内障手術のため東大病院に入院。以後、右眼左眼ともに健全。八月五、六日、大阪に行き、後藤明生の通夜告別式に参列、弔辞を読む。一〇月一〇日から三〇日、野間国際文芸翻訳賞の授賞に選考委員として出席のためにフランクフルトに行き、ついでに南ドイツからコルマール、ストラスブールをまわる。

二〇〇〇年（平成一二年）　六三歳

九月、松浦寿輝と対談「いま文学の美は何処にあるか」を『文学界』に、一〇月、山城むつみと対談「静まりと煽動の言語」を『群像』に、一一月、島田雅彦、平野啓一郎と鼎談「三島由紀夫不在の三十年」を『新潮』臨時増刊に掲載。／九月、連作短篇集『聖耳』（講談社）を刊行。一〇月、『二〇世紀の定義1　二〇世紀への問い』（岩波書店）のなかに、「二〇世紀の岬を回り」を書く。／一〇月、長女麻子結婚。一一月、新宿の酒場「風花」で朗読会。以後、三ヵ月ほどの間隔で定期的に、毎回ホスト役をつとめ、ゲストを一人ずつ招いて続ける（二〇一〇年四月終了）。

二〇〇一年（平成一三年）　六四歳

一月より、「八人目の老人」に始まる連作を『新潮』に発表（以下、二月「槌の音」、三月「白湯」、四月「巫女さん」、五月「枯れし林に」、六月「春の日」、八月「或る朝」、九月「天躁」、一〇月「峯の嵐か」、一一月「この日警報を聞かず」、一二月「坂の子」、二〇〇二年一月「忿翁」で完結）。一〇月から『毎日新聞』で松浦寿輝と往復書簡「時代のあわいにて」を交互隔月に翌年一一月まで連載。／五月、『二〇世紀の定義7　生きること死ぬこと』（岩波書店）に「『時』の沈黙」を書く。／三月三日、風花朗読会が旧知の河出書房新社編集者、飯田貴司の通夜にあたり、焼香の後風花に駆けつけ、ネクタイを換えて朗読に臨む。一一月、次女有子結婚。

二〇〇二年（平成一四年）　六五歳

三月、齋藤孝と対談「声と身体に日本語が宿る」を『文学界』に、四月、養老孟司と対談「日本語と自我」を『群像』に、同月、奥山民枝と対談「怒れる翁とめでたい翁」を『波』に掲載。六月、連作「青い眼薬」を『群像』に連載開始（六月「1・埴輪の馬」、七月「2・石の地蔵さん」、八月「3・野川」、九月「4・背中から」、一〇月「5・忘れ水」、一一月「6・睡蓮」、一二月「7・彼岸」）。一〇月、中沢新一、平出隆と鼎談「正岡子規没後百年」を『新潮』に掲載。／三月、短篇集『忿翁』（新潮社）を刊行。／九月、長女麻子に長男生まれる。一一月四日から二〇日、朗読とシンポジウムのため、ナント、パリ、ウィーン、インスブルック、メラノに行く。二二日から二九日、ウィーンで休暇。

二〇〇三年（平成一五年）　六六歳

一月、小田実、井上ひさし、小森陽一と座談会「戦後の日米関係と日本文学」を『すばる』に掲載。一月五日から日曜毎に、随筆「東京の声・東京の音」を『日本経済新聞』に連載（一二月まで）。三月、連作「青い眼薬」を『群像』に掲載（三月「8・旅のうち」、四月「9・紫の蔓」、五月「10・子守り」、六月「11・花見」、七月「12・徴《しるし》」、九月「13・森の中」、一〇月「14・蟬の道」、一二月「15・夜の髭」）。四月、高橋源一郎と対談「文学の成熟曲線」を『新潮』に掲載。／五月『槿』（講談社文芸文庫）を刊行。／一月二三日から三〇日、NHK・BS「わが心の旅」の取材のため、リーメンシュナイダーの祭壇彫刻を求め、かたわら中世末の《聖女》マルガレータ・フォン・エブナーの跡をたずね、ヴュルツブルク、ローテンブルク、メディンゲンなどを歩く。九月、南フランスでシンポジウム。

二〇〇四年（平成一六年）　六七歳

一月、『群像』に連作「青い眼薬」の完結篇「16・一滴の水」を発表。六月、高橋源一郎、島田雅彦と座談会「罰当たりな文士の懺悔」を『新潮』に掲載。七月、「辻」に始まる連作を『新潮』に発表（以下、八月「風」、九月「役」、一一月「割符」、一二月「受胎」）。八月、平出隆と対談「小説の深淵に流れるもの」を『群像』に掲載。／五月『野川』（講談社）、一〇月、随筆集『ひととせの東京の声と音』（日本経済新聞社）、一二月、新装新版『仮往生伝試文』（河出書房新社）を刊行。

二〇〇五年（平成一七年）　六八歳

一月、連作「辻」を『新潮』に不定期連載（一月「草原」、三月「暖かい髭」、四月「林の声」、五月「雪明かり」、七月「半日の花」、八月「白い軒」、九月「始まり」で完結）。五月、寺田博と対談「「かろうじて」の文学」を『早稲田文学』に掲載。／一月『聖なるものを訪ねて』（ホーム社・集英社発売）刊行。一二月、一九九七年六月から二〇〇五年三月まで『るしおる』に二五回にわたって連載した『詩への小路』（書肆山田）を刊行（ライナー・マリア・リルケ「ドゥイノの悲歌」の試訳をふくむ）。／一〇月、長女麻子に長女生まれる。

二〇〇六年（平成一八年）　六九歳

一月、「休暇中」を『新潮』に発表。三月、蓮實重彥と対談「終わらない世界へ」を『新潮』に掲載。四月、連作「黙躁」を『群像』に連載開始（四月「1・白い男〈『白暗淵』収録にあたって「朝の男」と改題〉」、五月「2・地に伏す女」、六月「3・繰越坂」、八月「4・雨宿り」、九月「5・白暗淵」、一〇月「6・野晒し」、一二月「7・無音のおとずれ」）。七月、高橋源一郎、山田詠美との座談会「権威には生贄が必要」を『群像』に掲載。一二月、「年越し」を『日本経済新聞』（三一日）に掲載。／一月、連作短篇集『辻』（新潮社）、九月『山躁賦』（講談社文芸文庫）を刊行。／四月、次女有子に長男生まれる。

二〇〇七年（平成一九年）　七〇歳

一月、連作「黙躁」を『群像』に掲載（一月「8・餓鬼の道」、二月「9・撫子遊ぶ」、四月「10・潮の変わり目」、五月「11・糸遊」、六月「12・鳥の声」で一二篇完結）。三月、『群像』誌上で松浦寿輝と対談。／八月、松浦寿輝との往復書簡集『色と空のあわいで』（講談社）、『野川』（講談社文庫）、九月、エッセイ集『始まりの言葉』（岩波書店）、一二月、連作短篇集『白暗淵』(講談社)を刊行。／七月、関東中央病院に検査入院。八月六日、日赤医療センターに入院。八日、頸椎を手術、一六年前と同じ主治医による。二三日、退院。

二〇〇八年(平成二〇年)七一歳
一月、福田和也との対談「平成の文学について」を『新潮』に掲載。二月、岩波書店の連続講演「漱石の漢詩を読む」を行う(週一回で計四回)。同月、『毎日新聞』に月一回のエッセイを連載開始。講演録「書く 生きる」を『すばる』に、三月「小説の言葉」を『言語文化』(同志社大学)に掲載。四月、『新潮』に連作を始める(四月「やすみしほど を」、六月「生垣の女たち」、八月「朝の虹」、一一月「涼風」)。／二月、講演録『ロベルト・ムージル』(岩波書店)を刊行。六月、『不機嫌の椅子 ベスト・エッセイ2008』(光村図書出版)に「人は往来」を収録。九月『夜明けの家』(講談社文芸文庫)、一二月『漱石の漢詩を読む』(岩波書店)を刊行。／この年、七〇代に入ってから二度目の連作にかかり、終わるものだろうかと心細くもなったが、心身好調だった。

二〇〇九年(平成二一年)七二歳
一月、前年からの連作を『新潮』に発表(一月「瓦礫の陰に」、四月「牛の眼」、六月「掌中の針」、八月「やすらい花」)。二月、随筆「招魂としての読書」を『すばる』に掲載。六月「ティベリウス帝『権力者の修辞』〔タキトゥス『年代記』〕」を『文芸春秋』に掲載。七月から『日本経済新聞』に週一度のエッセイ連載を始める。同月、島田雅彦と対談「恐慌と疫病下の文学」を『文学界』に掲載。／八月、坂本忠雄著『文学の器』(扶桑社)に福田和也との対談「川端康成『雪国』」を収録。一一月、口述をまとめた『人生の色気』(新潮社)を刊行。／この年、新聞のエッセイ連載がふたつ重なり、忙しくなったが、小説のほうにはよい影響を及ぼしたようだった。

二〇一〇年（平成二二年）　七三歳

一月、大江健三郎との対談「詩を読む、時を眺める」を『新潮』に、二月、佐伯一麦との対談「変わりゆく時代の『私』」を『すばる』に、三月、「小説家52人の2009年日記リレー」の二〇〇九年一二月二四日〜三一日を担当し『新潮』に掲載する。同月、往年の『文芸』および『海燕』の編集長寺田博氏亡くなる。四月、一〇年ほども新宿の酒場で続けた朗読会を第二九回目で終了。五月より「除夜」に始まる連作を『群像』に発表（以下、七月「明後日になれば」、一〇月「蜩の声」、一二月「尋ね人」）。一二月、佐々木中との対談「ところがどっこい旺盛だ。」を『早稲田文学　増刊π』に掲載。／三月『やすらい花』（新潮社）を刊行。この年、ビデオディスク『私の1冊　人と本の出会い』（アジア・コンテンツ・センター）に『山躁賦』を収録。／この年、初夏から秋にかけて長年の住まいの、築四二年目のマンションが三回目の改修工事に入り、騒音に苦しんで暮らすうちに、住まいというものの年齢を考えさせられた。

二〇一一年（平成二三年）　七四歳

一月、随筆「『が』地獄」を『新潮』に掲載。二月、前年からの連作を『群像』に掲載（二月「時雨のように」、四月「年の舞い」、六月「枯木の林」、八月「子供の行方」で完結）。三月「草食系と言うなかれ」を『文芸春秋』に掲載。四月から翌年三月まで、『読売新聞』「にほんご」欄に月一度、随筆（「時字随想」）を連載。六月「ここはひとつ腹を据えて」を『新潮45』に、一〇月、平野啓一郎との対談「震災後の文学の言葉」を『新潮』に、一二月、松浦寿輝との対談「小説家が老いるということ」を『群像』に掲載。／一〇月『蜩の声』（講談社）を刊行。／三月一一日の大震災の時刻は、自宅で「枯木の林」を書いている最中だった。

二〇一二年（平成二四年）七五歳

一月、随筆「埋もれた歳月」を『文学界』に、片山杜秀との対談「ペシミズムを力に」を『新潮45』に、又吉直樹との対談「災いの後に笑う」を『新潮』に掲載。三月、随筆「紙の子」を『群像』に掲載。五月、「窓の内」に始まる連作を『新潮』に掲載（以下、八月「地蔵丸」、一〇月「明日の空」、一二月「方違え」）。同月、「『古井由吉自撰作品』刊行記念連続インタヴュー『40年の試行と思考古井由吉を、今読むということ』（聞き手佐々木中）」、『文学は「辻」で生まれる』（聞き手　堀江敏幸）」を『文芸』夏号に掲載。七月、神奈川県川崎市の桐光学園中学高等学校にて、「言葉について」の特別講座を行う（二〇一三年八月、水曜社より刊行の『問いかける教室　13歳からの大学授業』に収録）。八月、中村文則との対談「予兆を描く文学」を『新潮』に掲載。一二月、一〇月二〇日に東京大学ホームカミングデイの文学部企画講演「翻訳と創作と」を加筆・修正して『群像』に掲載。／三月『古井由吉自撰作品』刊行開始（一〇月、全八巻完結）。『戦時下の青春』（『コレクション　戦争×文学15』）に「赤牛」が収録、集英社から刊行。七月、前年四月一八日からこの年三月二〇日まで『朝日新聞』に連載した佐伯一麦との震災をめぐる往復書簡を『言葉の兆し』として朝日新聞出版から刊行。／思いがけず河出書房新社から作品集を出すことになった。

二〇一三年（平成二五年）七六歳

三月、前年からの連作を『新潮』に掲載（三月「鐘の渡り」、五月「水こほる聲」、七月「八ツ山」、九月「机の四隅」で完結）。／六月『聖耳』（講談社文芸文庫）を刊行。／一月、又吉直樹がパーソナリティーを務めるニッポン放送のラジオ番組「ピース又吉の活字の世界」に出演（一月一六、二三日放送）。

二〇一四年（平成二六年）　七七歳

一月より、「躁がしい徒然」に始まる連作を『群像』に発表（以下、三月「死者の眠りに」、五月「踏切り」、七月「春の坂道」、九月「夜明けの枕」、一一月「雨の裾」）。一月、随筆「病みあがりのおさらい」を『新潮』に、五月、随筆「顎の形」を『文芸春秋』に掲載。六月、大江健三郎との対談「言葉の宙に迷い、カオスを渡る」を『新潮』に掲載。／二月、『新潮』の連作をまとめた『鐘の渡り』（新潮社）、三月、『古井由吉自撰作品』の月報の連載をまとめた『半自叙伝』（河出書房新社）、六月『辻』（新潮文庫）を刊行。

二〇一五年（平成二七年）　七八歳

前年からの連作を『群像』に掲載（一月「虫の音寒き」、三月「冬至まで」で完結）。一月、随筆「夜の楽しみ」を『新潮』に、随筆「達意ということ」を『文学界』に掲載。三月、大江健三郎との対談「文学の伝承」を『新潮』に、七月、堀江敏幸との対談「連れ連れに文学を思う」を『群像』に掲載。八月より、「後の花」に始まる連作を『新潮』に発表（以下、一〇月「道に鳴きつと」、一二月「人違い」）。一〇月、六月二九日に紀伊國屋サザンシアターにて行われた大江健三郎とのトークイベントを「漱石100年後の小説家」のタイトルで『新潮』に掲載。一二月、九月二日に八重洲ブックセンターで行われた又吉直樹とのトークイベントを「小説も舞台も、破綻があるから面白い」のタイトルで『群像』に掲載。／三月、TOKYO MXの『西部邁ゼミナール』に富岡幸一郎と出演（三月一五、二二、二九日放送）。五月、「東京大学新図書館トークイベントEXTRA」（飯田橋文学会、東京大学大学院総合文化研究科附属共生のための国際哲学センター、東京大学附属図書館共催）における阿部公彦とのトークショーで、『辻』『白暗淵』『やすらい花』について語る（二〇一七年一一月、東京大学出版会より刊行の『現代作家アーカイヴ1　自身の創作活動を語る』に収録）。一一月、SMAPの稲垣吾郎がホストを務めるTBSテレビ「ゴロウ・デラックス」に出演、「課題図書」は『雨の裾』（一一月一二日放送）。／四月、大江健三郎との対談集『文学の淵を渡る』（新潮社）、六月、『群像』の連作をまとめた『雨の裾』（講談社）を刊行。『現代小説クロニクル1995～1999』（日本文藝家協会編）に「不軽」が収録、講談社文芸文庫から刊行。七月、『仮往生伝試文』を講談社文芸文庫より初めて文庫本として刊行。

二〇一六年（平成二八年）**七九歳**

前年からの連作を『新潮』に掲載（二月「時の刻み」、四月「年寄りの行方」、六月「ゆらぐ玉の緒」、八月「孤帆一片」、一〇月「その日暮らし」）。／一月、『「内向の世代」初期作品アンソロジー』（黒井千次選）に「円陣を組む女たち」が収録、講談社文芸文庫から刊行。六月『白暗淵』（講談社文芸文庫）を刊行。

二〇一七年（平成二九年）**八〇歳**

六月、又吉直樹との対談「暗闇の中の手さぐり」を『新潮』に掲載。八月より、「たなごころ」に始まる連作を『群像』に発表（以下、一〇月「梅雨のおとずれ」、一二月「その日のうちに」）。／二月、『新潮』の連作をまとめた『ゆらぐ玉の緒』（新潮社）、『半自叙伝』（河出文庫）、五月『蜩の声』（講談社文芸文庫）、七月、エッセイ集『楽天の日々』（キノブックス）を刊行。

二〇一八年（平成三〇年）　八一歳
前年からの連作を『群像』に掲載（二月「野の末」、四月「この道」、六月「花の咲く頃には」、八月「雨の果てから」、一〇月「行方知れず」で完結）。三月、「創る人52人の『激動２０１７』日記リレー」の二〇一七年一一月一九日〜二五日を担当し『新潮』に掲載する。／五月、『群像短篇名作選2000～2014』（群像編集部編）に「白暗淵」が収録、講談社文芸文庫から刊行。

二〇一九年（平成三一年・令和元年）　八二歳
一月、インタヴュー「読むことと書くことの共振《ともぶ》れ」（聞き手・構成　すんみ）を『すばる』に、四月、インタヴュー「生と死の境、『この道』を歩く」（聞き手　蜂飼耳）を『群像』に掲載。七月より、「雛の春」に始まる連作を『新潮』に発表（以下、九月「われもまた天に」、一一月「雨あがりの出立」）。／一月、『群像』の連作をまとめた『この道』（講談社）を刊行。一二月、『深淵と浮遊　現代作家自己ベストセレクション』（高原英理編）に「瓦礫の陰に」が収録、講談社文芸文庫から刊行。

（著者編）

著書目録

古井由吉

【単行本】

円陣を組む女たち　昭45・6　中央公論社
男たちの円居　昭45・7　講談社
杳子・妻隠　昭46・1　河出書房新社
行隠れ　昭47・3　河出書房新社
水　昭48・4　河出書房新社
櫛の火　昭49・12　河出書房新社
聖　昭51・5　新潮社
女たちの家　昭52・2　中央公論社
哀原　昭52・11　文芸春秋
夜の香り　昭53・10　新潮社
栖　昭54・11　平凡社
椋鳥　昭55・8　中央公論社
親　昭55・12　平凡社
山躁賦　昭57・4　集英社
槿　昭58・6　福武書店
東京物語考　昭59・3　岩波書店
グリム幻想＊　昭59・4　ＰＡＲＣＯ出版局
招魂のささやき　昭59・11　福武書店
明けの赤馬　昭60・3　福武書店
裸々虫記　昭61・1　講談社
眉雨　昭61・2　福武書店
「私」という白道　昭61・3　トレヴィル
夜はいま　昭62・3　福武書店
フェティッシュな時代＊　昭62・8　トレヴィル

日や月や　昭63・4　福武書店
ムージル 観念のエロス　昭63・7　岩波書店
長い町の眠り　平元・5　福武書店
仮往生伝試文　平元・9　河出書房新社
与謝蕪村・小林一茶＊（新潮古典文学アルバム21）　平3・3　新潮社
楽天記　平4・3　新潮社
魂の日　平5・8　福武書店
小説家の帰還＊　平5・12　講談社
半日寂寞　平6・4　講談社
陽気な夜まわり　平6・8　講談社
折々の馬たち　平7・10　角川春樹事務所
神秘の人びと　平8・6　岩波書店
白髪の唄　平8・8　新潮社
山に彷徨う心　平8・8　アリアドネ企画
夜明けの家　平10・4　講談社
遠くからの声＊　平11・10　新潮社
聖耳　平12・9　講談社
忿翁　平14・3　新潮社
野川　平16・5　講談社
ひととせの 東京の声と音　平16・10　日本経済新聞社
聖なるものを訪ねて　平17・1　ホーム社
詩への小路　平17・12　書肆山田
辻　平18・1　新潮社
色と空のあわいで＊　平19・8　講談社
始まりの言葉　平19・9　岩波書店
白暗淵　平19・12　講談社
ロベルト・ムージル　平20・2　岩波書店
漱石の漢詩を読む　平20・12　岩波書店
人生の色気　平21・11　新潮社
やすらい花　平22・3　新潮社
蜩の声　平23・10　講談社
言葉の兆し＊　平24・7　朝日新聞出版
鐘の渡り　平26・2　新潮社
半自叙伝　平26・3　河出書房新社

文学の淵を渡る＊　平27・4　新潮社
雨の裾　平27・6　講談社
ゆらぐ玉の緒　平29・2　新潮社
楽天の日々　平29・7　キノブックス
現代作家アーカイヴ1　自身の創作活動を語る＊　平29・11　東京大学出版会
この道　平31・1　講談社

【翻訳】

世界文学全集56　ブロッホ　昭42　筑摩書房
世界文学全集49　リルケ　昭43　筑摩書房
筑摩世界文学大系64　ムージル　ブロッホ　昭48　筑摩書房
愛の完成・静かなヴェロニカの誘惑（ムージル）　昭62　岩波文庫
ムージル著作集7　平7　松籟社

【全集】

全エッセイ　全3巻　昭55・4〜6　作品社
古井由吉 作品　全7巻　昭57・9〜58・3　河出書房新社
古井由吉自撰作品　全8巻　平24・3〜10　河出書房新社
全集・現代文学の発見別巻（孤独のたたかい）　昭44　学芸書林
新鋭作家叢書（古井由吉集）　昭46　河出書房新社
現代の文学36　昭47　講談社
筑摩現代文学大系96　昭53　筑摩書房
新潮現代文学80　昭56　新潮社
芥川賞全集8　昭57　文芸春秋
昭和文学全集23　昭62　小学館
石川近代文学全集10　昭62　石川近代文学

館
日本の名随筆73　昭63　作品社
文芸春秋短篇小説館　平3　文芸春秋
（「平成紀行」収録）
馬の文化叢書9　平6　馬事文化財団
川端康成文学賞全作品　平11　新潮社
Ⅱ
戦後短篇小説選5　平12　岩波書店
（「親坂」収録）
山形県文学全集第Ⅱ期　平17　郷土出版社
4　昭和戦後編2
（「秋雨の最上川」収録）
コレクション　戦争×　平24　集英社
文学15　戦時下の青春
（「赤牛」収録）

【文庫】
雪の下の蟹・男たちの円　昭48　講談社文庫
居（解＝上田三四二　年）
円陣を組む女たち（解＝　昭49　中公文庫
清水徹）
女たちの家（解＝後藤明生）　昭54　中公文庫
行隠れ（解＝高井有一）　昭54　集英社文庫
杏子・妻隠（解＝三木卓）　昭54　新潮文庫
水（解＝小川国夫）　昭55　集英社文庫
櫛の火（解＝平岡篤頼）　昭56　新潮文庫
椋鳥（解＝平出隆）　昭58　中公文庫
聖・栖（解＝前田愛）　昭61　新潮文庫
山躁賦（解＝渋沢孝輔）　昭62　集英社文庫
夜の香り（解＝川村湊）　昭62　福武文庫
雪の下の蟹・男たちの円　昭63　文芸文庫
居（解＝平出隆　案＝紅野
謙介　著）
槿（解＝吉本隆明）　昭63　福武文庫
眉雨（解＝三浦雅士）　平元　福武文庫
招魂としての表現（解＝佐　平4　福武文庫
伯一麦）
水（解＝川西政明　案＝勝又　平6　文芸文庫
浩　著）

楽天記（解＝佐伯一麦）　平7　新潮文庫
木犀の日　古井由吉自選短篇集（解＝大杉重男　年　著）　平10　文芸文庫
日本ダービー十番勝負＊　平10　小学館文庫
白髪の唄（解＝藤沢周）　平11　新潮文庫
槿（解＝松浦寿輝　年　著）　平15　文芸文庫
山躁賦（解＝堀江敏幸　年　著）　平18　文芸文庫
野川（解＝平出隆）　平19　講談社文庫
夜明けの家（解＝富岡幸一郎　年　著）　平20　文芸文庫
聖耳（解＝佐伯一麦　年　著）　平25　文芸文庫
辻　平26　新潮文庫
仮往生伝試文（解＝佐々木中　年　著）　平27　文芸文庫
白暗淵（解＝阿部公彦　年　著）　平28　文芸文庫
半自叙伝（解＝佐々木中）　平29　河出文庫
蜩の声（解＝蜂飼耳　年　著）　平29　文芸文庫
文学の淵を渡る＊　平30　新潮文庫

「著書目録」は著者の校閲を経た。／原則として編著・再刊本等は入れなかった。／＊は対談・共著等を示す。／**【文庫】**はこれまで刊行されたものを掲出した。（　）内の略号は、解＝解説　案＝作家案内　年＝年譜　著＝著書目録を示す。

（作成・田中夏美）

【底本】
『詩への小路』　書肆山田　二〇〇五年一二月刊
初出
「るしおる」31号（一九九七年六月）～56号（二〇〇五年三月）

詩《し》への小路《こうじ》 ドゥイノの悲歌《ひか》

古《ふる》井《い》由吉《よしきち》

二〇二〇年一月一〇日第一刷発行

発行者——渡瀬昌彦
発行所——株式会社 講談社
東京都文京区音羽2・12・21 〒112-8001
電話 編集（03）5395・3513
販売（03）5395・5817
業務（03）5395・3615

デザイン——菊地信義
印刷——豊国印刷株式会社
製本——株式会社国宝社
本文データ制作——講談社デジタル製作

定価はカバーに表示してあります。

ISBN978-4-06-518501-8

講談社
文芸文庫

講談社文芸文庫

藤澤清造 ―狼の吐息|愛憎一念 藤澤清造 負の小説集　西村賢太―解／西村賢太―年
藤田嗣治 ―腕一本|巴里の横顔 藤田嗣治エッセイ選 近藤史人編　近藤史人―解／近藤史人―年
舟橋聖一 ―芸者小夏　松家仁之―解／久米 勲―年
古井由吉 ―雪の下の蟹|男たちの円居　平出 隆―解／紅野謙介―案
古井由吉 ―古井由吉自選短篇集 木犀の日　大杉重男―解／著者―年
古井由吉 ―槿　松浦寿輝―解／著者―年
古井由吉 ―聖耳　佐伯一麦―解／著者―年
古井由吉 ―仮往生伝試文　佐々木 中―解／著者―年
古井由吉 ―白暗淵　阿部公彦―解／著者―年
古井由吉 ―蜩の声　蜂飼 耳―解／著者―年
古井由吉 ―詩への小路 ドゥイノの悲歌　平出 隆―解／著者―年
北條民雄 ―北條民雄 小説随筆書簡集　若松英輔―解／計盛達也―年
堀田善衞 ―歯車|至福千年 堀田善衞作品集　川西政明―解／新見正彰―年
堀江敏幸 ―子午線を求めて　野崎 歓―解／著者―年
堀口大學 ―月下の一群（翻訳）　窪田般彌―解／柳沢通博―年
正宗白鳥 ―何処へ|入江のほとり　千石英世―解／中島河太郎―年
正宗白鳥 ―世界漫遊随筆抄　大嶋 仁―解／中島河太郎―年
正宗白鳥 ―白鳥随筆 坪内祐三選　坪内祐三―解／中島河太郎―年
正宗白鳥 ―白鳥評論 坪内祐三選　坪内祐三―解
町田康 ―残響 中原中也の詩によせる言葉　日和聡子―解／吉田凞生・著者―年
松浦寿輝 ―青天有月 エセー　三浦雅士―解／著者―年
松浦寿輝 ―幽|花腐し　三浦雅士―解／著者―年
松下竜一 ―豆腐屋の四季 ある青春の記録　小嵐九八郎―解／新木安利他―年
松下竜一 ―ルイズ 父に貰いし名は　鎌田 慧―解／新木安利他―年
松下竜一 ―底ぬけビンボー暮らし　松田哲夫―解／新木安利他―年
松田解子 ―乳を売る|朝の霧 松田解子作品集　高橋秀晴―解／江崎 淳―年
丸谷才一 ―忠臣藏とは何か　野口武彦―解
丸谷才一 ―横しぐれ　池内 紀―解
丸谷才一 ―たった一人の反乱　三浦雅士―解／編集部―年
丸谷才一 ―日本文学史早わかり　大岡 信―解／編集部―年
丸谷才一編 ―丸谷才一編・花柳小説傑作選　杉本秀太郎―解
丸谷才一 ―恋と日本文学と本居宣長|女の救はれ　張 競―解／編集部―年
丸谷才一 ―七十句|八十八句　編集部―年
丸山健二 ―夏の流れ 丸山健二初期作品集　茂木健一郎―解／佐藤清文―年

▶解=解説 案=作家案内 人=人と作品 年=年譜を示す。 2019年12月現在

古井由吉
詩への小路　ドゥイノの悲歌
解説＝平出 隆　年譜＝著者
リルケ「ドゥイノの悲歌」全訳をはじめドイツ、フランスの詩人からギリシャ悲劇まで、詩をめぐる自在な随想と翻訳。徹底した思索とエッセイズムが結晶した名篇。
ふA11
978-4-06-518501-8

石坂洋次郎　三浦雅士・編
乳母車／最後の女　石坂洋次郎傑作短編選
解説＝三浦雅士　年譜＝森 英一
戦後を代表する流行作家の明朗健全な筆が、無意識に追いつづけた女たちの姿と家族像は、現代にこそ意外な形で光り輝く。いま再び読まれるべき名編九作を収録。
いAA1
978-4-06-518602-2